Die Pippi-Bücher heißen

Einzelbände:
Pippi Langstrumpf
Pippi Langstrumpf geht an Bord
Pippi in Taka-Tuka-Land

Gesamtausgabe:
Pippi Langstrumpf

Oetinger Kinderbuch-Reihe
SONNE · MOND · UND · STERNE
Pippi plündert den Weihnachtsbaum

Bilderbuch:
Kennst du Pippi Langstrumpf?

Astrid Lindgren

Pippi
Langstrumpf

Deutsch von
Cäcilie Heinig

Zeichnungen von
Walter Scharnweber

Verlag Friedrich Oetinger · Hamburg

© Verlag Friedrich Oetinger, Hamburg 1949
Neuausgabe 1986
Alle Rechte für die deutschsprachige Ausgabe vorbehalten
© Astrid Lindgren, Stockholm 1945
Die schwedische Originalausgabe erschien bei
Rabén & Sjögren Bokförlag, Stockholm,
unter dem Titel „Pippi Langstrump"
Deutsch von Cäcilie Heinig
Einband und Illustrationen: Walter Scharnweber
Gesamtherstellung: Ueberreuter
Buchproduktion & Buchbinderei Ges. m. b. H., Korneuburg
Printed in Austria 1991
ISBN 3-7819-1851-6

Inhalt

ERSTES KAPITEL

Pippi zieht
in die Villa Kunterbunt ein

Am Rand der kleinen, kleinen Stadt lag ein alter verwahrloster Garten. In dem Garten stand ein altes Haus, und in dem Haus wohnte Pippi Langstrumpf. Sie war neun Jahre alt, und sie wohnte ganz allein da. Sie hatte keine Mutter und keinen Vater, und eigentlich war das sehr schön, denn so war niemand da, der ihr sagen konnte, daß sie zu Bett gehen sollte, gerade wenn sie mitten im schönsten Spiel war, und niemand, der sie zwingen konnte, Lebertran zu nehmen, wenn sie lieber Bonbons essen wollte.

Früher hatte Pippi mal einen Vater gehabt, den sie schrecklich lieb hatte. Ja, sie hatte natürlich auch eine Mutter gehabt, aber das

7

war so lange her, daß sie sich gar nicht mehr daran erinnern konnte. Die Mutter war gestorben, als Pippi noch ein ganz kleines Ding war, das in der Wiege lag und so furchtbar schrie, daß es niemand in ihrer Nähe aushalten konnte. Pippi glaubte, daß ihre Mutter nun oben im Himmel sei und durch ein kleines Loch auf ihr Kind runterschaue, und Pippi winkte oft zu ihr hinauf und sagte: „Hab keine Angst um mich! Ich komm schon zurecht!"

Ihren Vater hatte Pippi nicht vergessen. Er war Kapitän und segelte über die großen Meere, und Pippi war mit ihm auf seinem Schiff gesegelt, bis er einmal bei einem Sturm ins Meer geweht worden und verschwunden war. Aber Pippi war ganz sicher, daß er eines Tages zurückkommen würde. Sie glaubte überhaupt nicht, daß er ertrunken sein könnte. Sie glaubte, daß er auf einer Insel an Land geschwemmt worden war, wo viele

Neger wohnten, und daß ihr Vater König über alle Neger geworden war und jeden Tag eine goldene Krone auf dem Kopf trug.

„Meine Mama ist ein Engel und mein Papa ist ein Negerkönig. Es gibt wahrhaftig nicht viele Kinder, die so feine Eltern haben!" pflegte Pippi sehr stolz zu sagen. „Und wenn mein Papa sich nur ein Schiff bauen kann, dann kommt er und holt mich, und dann werde ich eine Negerprinzessin. Hei hopp, was wird das für ein Leben!"

Ihr Vater hatte dieses alte Haus, das in dem Garten stand, vor vielen Jahren gekauft. Er hatte gedacht, daß er dort mit Pippi wohnen würde, wenn er alt war und nicht mehr über die Meere segeln konnte. Aber dann passierte ja das Schreckliche, daß er ins Meer geweht wurde, und während Pippi darauf wartete, daß er zurückkam, begab sie sich geradewegs nach Hause in die Villa Kunterbunt. So hieß dieses Haus. Es stand möbliert und fertig da und wartete auf sie. An einem schönen Sommerabend hatte sie allen Matrosen auf dem Schiff ihres Vaters Lebewohl gesagt. Sie hatten Pippi sehr gern, und Pippi hatte sie auch gern.

„Lebt wohl, Jungs", sagte Pippi und gab allen der Reihe nach einen Kuß auf die Stirn. „Habt keine Angst um mich. Ich komm schon zurecht."

Zwei Dinge nahm sie vom Schiff mit. Einen kleinen Affen, der Herr Nilsson hieß, und einen großen Handkoffer, voll mit Goldstücken, den hatte sie von ihrem Vater bekommen. Die Matrosen standen an der Reling und schauten Pippi nach, solange sie sie sehen konnten. Sie ging mit festen Schritten davon, ohne sich umzudrehen, mit Herrn Nilsson auf der Schulter und dem Koffer in der Hand.

„Ein merkwürdiges Kind", sagte einer der Matrosen und wischte sich eine Träne aus dem Auge, als Pippi in der Ferne verschwunden war.

Er hatte recht. Pippi war ein sehr merkwürdiges Kind. Das allermerkwürdigste an ihr war, daß sie so stark war. Sie war so furchtbar stark, daß es auf der ganzen Welt keinen Polizisten gab, der so stark war wie sie. Sie konnte ein ganzes Pferd hochheben, wenn sie wollte. Und das wollte sie. Sie hatte ein eigenes Pferd, das sie für eines ihrer vielen Goldstücke gekauft hatte, an demselben Tag, an dem sie heimgekommen war in die Villa Kunterbunt. Sie hatte sich immer nach einem eigenen Pferd gesehnt. Und jetzt wohnte es auf der Veranda. Aber wenn Pippi ihren Nachmittagskaffee dort trinken wollte, hob sie es ohne weiteres in den Garten hinaus.

Neben der Villa war ein anderer Garten und darin ein anderes Haus. In dem Haus wohnten ein Vater und eine Mutter mit ihren bei-

den netten kleinen Kindern, einem Jungen
und einem Mädchen. Der Junge hieß Thomas und das Mädchen Annika. Das waren
zwei sehr liebe, wohlerzogene und artige
Kinder. Niemals kaute Thomas an seinen
Nägeln, immer tat er das, was ihm seine
Mutter sagte. Annika murrte niemals, wenn
sie nicht ihren Willen bekam. Sie sah immer
ordentlich aus in ihren gebügelten Baum-
wollkleidern, und sie nahm sich sehr in acht,
daß sie sich nicht schmutzig machte. Thomas und Annika spielten brav zusammen in
ihrem Garten, aber sie hatten sich oft einen
Spielkameraden gewünscht, und zu der Zeit,
als Pippi noch mit ihrem Vater auf den Mee-
ren herumsegelte, standen sie manchmal am
Gartenzaun und sagten:

„Zu dumm, daß niemand in dieses Haus
zieht. Da sollte jemand wohnen, jemand,
der Kinder hat."

An dem schönen Sommerabend, als Pippi

zum erstenmal über die Schwelle der Villa Kunterbunt schritt, waren Thomas und Annika nicht zu Hause. Sie waren für eine Woche zu ihrer Großmutter gereist. Sie hatten daher keine Ahnung, daß jemand in die Nachbarvilla eingezogen war, und als sie am ersten Tag nach ihrer Rückkehr an der Gartentür standen und auf die Straße schauten, wußten sie immer noch nicht, daß ganz in ihrer Nähe ein Spielkamerad war.

Als sie gerade überlegten, was sie anfangen sollten und ob vielleicht heute etwas Interessantes passieren würde oder ob es so ein langweiliger Tag werden würde, wo einem nichts einfiel, gerade da wurde die Gartentür zur Villa Kunterbunt geöffnet, und ein kleines Mädchen kam heraus. Das war das merkwürdigste Mädchen, das Thomas und Annika je gesehen hatten, und es war Pippi Langstrumpf, die zu ihrem Morgenspaziergang herauskam. Sie sah so aus:

Ihr Haar hatte dieselbe Farbe wie eine Möhre und war in zwei feste Zöpfe geflochten, die vom Kopf abstanden. Ihre Nase hatte dieselbe Form wie eine ganz kleine Kartoffel und war völlig von Sommersprossen übersät. Unter der Nase saß ein wirklich riesig breiter Mund mit gesunden weißen Zähnen. Ihr Kleid war sehr komisch. Pippi hatte es selbst genäht. Es war wunderschön gelb; aber weil der Stoff nicht gereicht hatte, war es zu kurz, und so guckte eine blaue Hose mit weißen Punkten darunter hervor. An ihren langen dünnen Beinen hatte sie ein Paar lange Strümpfe, einen geringelten und einen schwarzen. Und dann trug sie ein Paar schwarze Schuhe, die genau doppelt so groß waren wie ihre Füße. Die Schuhe hatte ihr Vater in Südamerika gekauft, damit sie etwas hätte, in das sie hineinwachsen könnte, und Pippi wollte niemals andere haben.

Thomas und Annika sperrten besonders die

Augen auf, als sie den Affen sahen, der auf der Schulter des fremden Mädchens saß. Es war eine kleine Meerkatze mit blauen Hosen, gelber Jacke und einem weißen Strohhut.

Pippi ging die Straße entlang. Sie ging mit dem einen Bein auf dem Bürgersteig und mit dem anderen im Rinnstein. Thomas und Annika schauten ihr nach, solange sie sie sehen konnten. Nach einer Weile kam sie zurück. Aber jetzt ging sie rückwärts. Das tat sie, damit sie sich nicht umzudrehen brauchte, wenn sie nach Hause ging. Als sie vor Thomas' und Annikas Gartentür angekommen war, blieb sie stehen. Die Kinder sahen sich schweigend an. Schließlich fragte Thomas:

„Warum bist du rückwärts gegangen?"

„Warum ich rückwärts gegangen bin?" sagte Pippi. „Leben wir etwa nicht in einem freien Land? Darf man nicht gehen, wie man möchte? Übrigens will ich dir sagen, daß in Ägypten alle Menschen so gehen, und niemand findet das auch nur im geringsten merkwürdig."

„Woher weißt du das?" fragte Thomas. „Du bist doch wohl nicht in Ägypten gewesen?"

„Ob ich in Ägypten war? Ja, da kannst du Gift drauf nehmen! Ich war überall auf dem ganzen Erdball und hab noch viel komischere Sachen gesehen als Leute, die rückwärts gehen. Ich möchte wissen, was du gesagt hättest, wenn ich auf den Händen gegangen wäre wie die Leute in Hinterindien."

„Jetzt lügst du", sagte Thomas.

Pippi überlegte einen Augenblick.

„Ja, du hast recht, ich lüge", sagte sie traurig.

„Lügen ist häßlich", sagte Annika, die endlich wagte, den Mund aufzumachen.

„Ja, Lügen ist *sehr* häßlich", sagte Pippi noch trauriger. „Aber ich vergesse es hin und wieder, weißt du. Und wie kannst du überhaupt verlangen, daß ein kleines Kind, das eine Mama hat, die ein Engel ist, und einen Papa, der Negerkönig ist, und das sein ganzes Leben lang auf dem Meer gesegelt ist, immer die Wahrheit sagen soll? Und übrigens", fuhr sie fort, und sie strahlte über ihr ganzes sommersprossiges Gesicht, „will ich euch sagen, daß es in Kenia keinen einzigen Menschen gibt, der die Wahrheit sagt. Sie lügen den ganzen Tag. Sie fangen früh um sieben an und hören nicht eher auf, als bis die Sonne untergegangen ist. Wenn es also passieren sollte, daß ich mal lüge, so müßt ihr versuchen, mir zu verzeihen und daran zu denken, daß es nur daran liegt, weil ich etwas zu lange in Kenia war. Wir können doch trotzdem Freunde sein, nicht wahr?"

„Ja, klar", sagte Thomas, und er wußte plötzlich, daß der Tag heute sicher keiner der langweiligen werden würde.

„Warum könnt ihr übrigens nicht bei mir frühstücken?" fragte Pippi.

„Ja, richtig", sagte Thomas, „warum können wir das nicht? Kommt, wir gehen!"

„Ja", sagte Annika, „jetzt sofort."

„Aber erst muß ich euch Herrn Nilsson vorstellen", sagte Pippi.

Und da nahm der kleine Affe den Hut ab und grüßte höflich.

Und nun gingen sie durch die verfallene Gartentür der Villa Kunterbunt den Kiesweg entlang, an dessen Rändern alte moosbewachsene Bäume standen, richtig prima Kletterbäume, und hinauf zur Villa und auf die Veranda.

Da stand das Pferd und fraß Hafer aus einer Suppenschüssel.

„Warum in aller Welt hast du ein Pferd auf der Veranda?" fragte Thomas.

Alle Pferde, die er kannte, wohnten in einem Stall.

„Tja", sagte Pippi nachdenklich, „in der Küche würde es nur im Weg stehen. Und im Wohnzimmer gefällt es ihm nicht."

Thomas und Annika streichelten das Pferd, und dann gingen sie ins Haus. Da gab es eine Küche und ein Wohnzimmer und ein Schlafzimmer. Aber es sah so aus, als ob Pippi vergessen hätte, am Wochenende sauberzumachen.

Thomas und Annika sahen sich vorsichtig um, ob der Negerkönig in einer Ecke säße. Sie hatten in ihrem ganzen Leben noch keinen Negerkönig gesehen. Aber kein Vater war zu sehen und auch keine Mutter, und Annika fragte ängstlich:

„Wohnst du hier ganz allein?"

„Aber nein, Herr Nilsson und das Pferd wohnen ja auch hier."

„Ja aber, ich meine, hast du keine Mama und keinen Papa hier?"

„Nein, gar nicht", sagte Pippi vergnügt.

„Aber wer sagt dir, wenn du abends ins Bett gehen sollst und all so was?"

„Das mach ich selbst", sagte Pippi. „Erst sag ich es ganz freundlich, und wenn ich nicht gehorche, dann sag ich es noch mal streng, und wenn ich dann immer noch nicht hören will, dann gibt es Haue."

Genau verstanden Thomas und Annika das nicht, aber sie dachten, daß es vielleicht ganz praktisch wäre. Inzwischen waren sie in die Küche gekommen, und Pippi schrie:

„Jetzt woll'n wir Pfannkuchen backen!"

Und nun holte sie drei Eier und warf sie in die Luft. Eins fiel ihr auf den Kopf und ging kaputt, so daß ihr das Eigelb in die Augen lief. Aber die anderen fing sie geschickt in einem Topf auf, und dort gingen sie dann kaputt.

„Ich hab immer gehört, daß Eigelb gut für die Haare sein soll", sagte Pippi und wischte sich die Augen aus. „Ihr sollt mal sehen: Es wächst, daß es kracht. In Brasilien laufen übrigens alle Leute mit Ei im Haar herum. Aber da gibt's auch keine Kahlköpfe. Nur einmal war da ein Alter, der war so verrückt, daß er die Eier aufaß, anstatt sie ins Haar zu schmieren. Er bekam auch ganz richtig einen Kahlkopf, und wenn er sich auf der Straße zeigte, gab es einen solchen Auflauf, daß die Polizei anrücken mußte."

Während Pippi redete, hatte sie geschickt die Eierschalen mit den Fingern aus dem Topf gefischt. Jetzt nahm sie eine Badebürste, die an der Wand hing, und fing an, den Pfannkuchenteig zu schlagen, so daß die Wände ringsherum vollgespritzt wurden. Schließlich goß sie das, was übrig war, in eine Pfanne, die auf dem Herd stand.

Als der Pfannkuchen auf der einen Seite gebacken war, warf sie ihn hoch, so daß er sich in der Luft umdrehte, und fing ihn dann wieder in der Pfanne auf. Und als er fertig war, warf sie ihn quer durch die Küche direkt auf einen Teller, der auf dem Tisch stand.

„Eßt", rief sie, „eßt, bevor er kalt wird." Und Thomas und Annika aßen und fanden, daß es ein sehr guter Pfannkuchen war.

Danach bat Pippi sie in das Wohnzimmer. Dort stand nur ein Möbelstück. Das war eine große Kommode mit vielen kleinen Schubladen. Pippi öffnete die Schubladen und zeigte Thomas und Annika all die Schätze, die sie dort verwahrt hatte. Da waren seltsame Vogeleier und merkwürdige Schneckengehäuse und Steine, kleine hübsche Schachteln, schöne silberne Spiegel und Perlenketten und vieles andere, was Pippi und ihr Vater während ihrer Reisen um die Erde gekauft hatten.

Pippi gab jedem ihrer neuen Freunde ein kleines Geschenk zum Andenken. Thomas bekam einen Dolch mit schimmerndem

Perlmuttergriff und Annika ein kleines Kästchen, dessen Deckel mit rosa Muscheln
besetzt war. In dem Kästchen lag ein Ring
mit einem grünen Stein.

„Am besten, ihr geht jetzt nach Hause",
sagte Pippi, „damit ihr morgen wiederkom-
men könnt. Denn wenn ihr nicht nach
Hause geht, könnt ihr ja nicht wiederkom-
men. Und das wäre schade."

Das fanden Thomas und Annika auch. Und so gingen sie nach Hause, am Pferd vorbei, das den ganzen Hafer aufgefressen hatte, und durch die Gartentür der Villa Kunterbunt. Herr Nilsson schwenkte den Hut, als sie gingen.

ZWEITES KAPITEL

Pippi wird Sachensucher und gerät in eine Prügelei

Annika erwachte zeitig am nächsten Morgen. Sie sprang schnell aus dem Bett und schlich zu Thomas.

„Wach auf, Thomas", sagte sie und rüttelte ihn am Arm. „Wach auf, wir wollen zu dem ulkigen Mädchen mit den großen Schuhen gehen."

Thomas war sofort hellwach.

„Ich wußte, als ich schlief, daß heute was Lustiges kommt, ich konnte mich nur nicht daran erinnern, was es war", sagte er und zog seine Pyjamajacke aus. Dann gingen sie beide ins Badezimmer. Sie wuschen sich und putzten die Zähne viel schneller als sonst, sie zogen sich schnell und vergnügt an, und eine ganze Stunde früher, als ihre Mutter gedacht hatte, kamen sie von oben auf dem Geländer heruntergerutscht und landeten genau am Frühstückstisch, wo sie sich hinsetzten und riefen, daß sie jetzt sofort ihren Kakao haben wollten.

„Was habt ihr denn vor?" fragte ihre Mutter. „Ihr habt es ja so eilig!"

„Wir wollen zu dem neuen Mädchen ins Haus nebenan gehen", sagte Thomas.

„Wir bleiben vielleicht den ganzen Tag da", sagte Annika.

Gerade an diesem Morgen war Pippi dabei, Pfefferkuchen zu backen.

Sie hatte eine riesengroße Menge Teig gemacht und auf dem Küchenfußboden ausgerollt.

„Denn weißt du", sagte Pippi zu ihrem kleinen Affen, „wie weit reicht eigentlich ein Backblech, wenn man mindestens fünfhundert Pfefferkuchen backen will?"

Und da lag sie nun auf dem Fußboden und stach mit Hingabe Pfefferkuchen aus.
„Tritt nicht immer in den Teig, Herr Nilsson", sagte sie gerade, als es klingelte.

Pippi lief zur Tür und öffnete. Sie war von oben bis unten weiß wie ein Müller, und als sie Thomas und Annika herzlich die Hände schüttelte, wurden sie von einer Mehlwolke eingehüllt.
„Wie nett, daß ihr hereinschaut", sagte sie

und schüttelte ihre Schürze, so daß eine neue Mehlwolke aufstob. Thomas und Annika bekamen so viel Mehl in den Hals, daß sie husten mußten.

„Was tust du da?" fragte Thomas.

„Ja, wenn ich sage, daß ich gerade dabei bin, den Schornstein zu fegen, glaubst du mir doch nicht, so schlau wie du bist", sagte Pippi. „Tatsache ist, daß ich backe. Aber ich bin bald fertig. Setzt euch solange auf die Brennholzkiste."

Pippi konnte schnell arbeiten, weiß Gott! Thomas und Annika saßen auf der Holzkiste und sahen zu, wie sie auf den Pfefferkuchenteig losging und wie sie die Kuchen auf das Blech warf und wie sie die Bleche in den Ofen schleuderte. Sie fanden, daß es beinahe wie im Kino war.

„Fertig", sagte Pippi und schlug mit einem Krach die Ofentür zu, nachdem sie das letzte Blech herausgezogen hatte.

„Was wollen wir jetzt machen?" fragte Thomas.

„Was ihr machen wollt, weiß ich nicht", sagte Pippi. „Ich werde jedenfalls nicht auf der faulen Haut liegen. Ich bin nämlich ein Sachensucher, und da hat man niemals eine freie Stunde."

„Was hast du gesagt, was du bist?" fragte Annika.

„Ein Sachensucher."

„Was ist das?" fragte Thomas.

„Jemand, der Sachen findet, wißt ihr. Was soll es anderes sein?" sagte Pippi, während sie die Mehlreste zu einem kleinen Haufen zusammenfegte. „Die ganze Welt ist voll von Sachen, und es ist wirklich nötig, daß jemand sie findet. Und das gerade, das tun die Sachensucher."

„Was sind das denn für Sachen?" fragte Annika.

„Ach, alles mögliche", sagte Pippi. „Goldklumpen und Straußenfedern und tote Ratten und Knallbonbons und kleine Schraubenmuttern und all so was."

Thomas und Annika fanden, daß es ganz nett klang, und wollten auch gern Sachensucher werden, aber Thomas sagte, er hoffe, daß er einen Goldklumpen und nicht nur eine kleine Schraubenmutter finden würde.

„Wir werden ja sehen", sagte Pippi. „Etwas findet man immer. Aber jetzt müssen wir uns beeilen, damit nicht andere Sachensucher kommen, die alle Goldklumpen, die es hier in der Gegend gibt, aufheben."

Alle drei Sachensucher machten sich nun auf den Weg. Sie meinten, daß es am besten wäre, in der Nähe um die Villen herum anzufangen. Denn Pippi sagte, es könne zwar leicht passieren, daß man eine Schraubenmutter tief drinnen im Wald finde, aber die besten Sachen finde man fast immer da, wo Menschen in der Nähe wohnen.

„Aber immerhin", sagte sie, „ich habe auch schon Beispiele vom Gegenteil erlebt. Ich erinnere mich an ein Mal, als ich in den Dschungeln von Borneo nach Sachen suchte. Genau mittendrin im Urwald, wo niemals ein Mensch seinen Fuß hingesetzt hatte, was glaubt ihr, was ich da gefunden habe? Ein prima Holzbein. Ich hab es später einem alten Mann geschenkt, der nur ein Bein hatte, und er sagte, daß man so ein Holzbein nicht für Geld kaufen könnte."

Thomas und Annika beobachteten Pippi, um zu sehen, wie ein Sachensucher sich zu verhalten hat. Und Pippi lief von einem Straßenrand zum anderen, legte die Hand über die Augen und suchte und suchte. Manchmal kroch sie auf den Knien und steckte die Hand zwischen die Latten eines Zaunes und sagte enttäuscht:

„Merkwürdig! Ich dachte bestimmt, ich hätte einen Goldklumpen gesehen!"

„Darf man wirklich alles nehmen, was man findet?" fragte Annika.

„Ja, alles, was auf der Erde liegt", sagte Pippi.

Ein Stück weiter lag ein alter Herr auf dem Rasen vor seiner Villa und schlief.

„Der da liegt auf der Erde", sagte Pippi, „und wir haben ihn gefunden. Wir nehmen ihn!"

Thomas und Annika erschraken furchtbar.

„Nein, nein, Pippi, einen Mann können wir nicht nehmen, das geht nicht", sagte Thomas. „Was sollten wir übrigens auch mit ihm?"

„Was wir mit ihm sollten? Den könnte man zu vielerlei gebrauchen. Wir könnten ihn in einen kleinen Kaninchenkäfig stecken an Stelle eines Kaninchens und ihn mit Löwenzahnblättern füttern. Aber wenn ihr nicht wollt, lassen wir's bleiben, meinetwegen. Obwohl es mich ärgert, daß vielleicht ein anderer Sachensucher kommt und ihn klaut."

Sie gingen weiter. Plötzlich stieß Pippi ein lautes Geheul aus.

„Nein, so was hab ich noch nie gesehen!" schrie sie und hob eine alte rostige Blechbüchse vom Boden auf. „So ein Fund, so ein Fund! Büchsen kann man nie genug haben."

Thomas sah die Büchse etwas mißtrauisch an und sagte:

„Wozu kann man die gebrauchen?"

„Oh, die kann man zu vielem gebrauchen", sagte Pippi. „Wenn man Kuchen reinlegt, dann ist es eine prima ‚Büchse mit Kuchen'. Wenn man *keinen* Kuchen reinlegt, dann ist es eine ‚Büchse ohne Kuchen', und das ist natürlich nicht ganz so schön, aber so kann man sie auch gut gebrauchen."

Sie musterte die Büchse, die wirklich sehr rostig war und außerdem ein Loch im Boden hatte.

„Es sieht beinah so aus, als ob es eine ‚Büchse ohne Kuchen‘ werden wird“, sagte sie nachdenklich. „Aber man kann sie auch übern Kopf stülpen und spielen, daß es mitten in der Nacht ist.“

Und das tat sie. Mit der Büchse auf dem Kopf wanderte sie durch das Villenviertel wie ein kleiner Blechturm, und sie blieb nicht eher stehen, bis sie über einen Drahtzaun stolperte und auf den Bauch fiel. Es machte einen furchtbaren Krach, als die Blechbüchse auf der Erde aufschlug.

„Da könnt ihr mal sehen“, sagte Pippi und nahm die Büchse vom Kopf. „Wenn ich die nicht aufgehabt hätte, wäre ich direkt auf dem Gesicht gelandet und hätte es mir blaugeschlagen.“

„Ja, aber“, sagte Annika, „wenn du nicht die Büchse aufgehabt hättest, wärst du nicht über den Stacheldrahtzaun gestolpert.“

Aber ehe sie zu Ende sprechen konnte,

ertönte ein neues Geheul von Pippi, die triumphierend eine leere Garnrolle hochhielt.

„Heute scheint mein Glückstag zu sein", sagte sie. „So eine kleine süße Garnrolle, mit der man Seifenblasen machen oder die man an einer Schnur um den Hals als Kette tragen kann. Ich will nach Hause und das sofort ausprobieren."

Gerade da wurde eine Gartentür geöffnet, und ein Junge kam herausgestürmt. Er sah ängstlich aus, und das war kein Wunder, denn dicht auf den Fersen folgten ihm fünf Jungen. Sie hatten ihn bald und drängten ihn gegen einen Zaun, wo sie alle auf ihn losgingen. Alle fünf auf einmal fingen an, ihn zu boxen und zu schlagen. Er weinte und hielt die Arme vors Gesicht, um sich zu schützen. „Gebt's ihm, Jungs!" schrie der größte und kräftigste der Jungen. „Daß er nie mehr wagt, sich in dieser Straße hier zu zeigen."

„Oh", sagte Annika, „das ist Willi, den sie da verhauen. Wie können die nur so gemein sein!"

„Das ist dieser schreckliche Benno. Immer muß er sich prügeln", sagte Thomas. „Und fünf gegen einen, solche Feiglinge!"

Pippi ging zu den Jungen hin und tippte Benno mit dem Zeigefinger auf den Rücken.

„Heda", sagte sie. „Wollt ihr etwa Mus aus dem kleinen Willi machen, weil ihr alle fünf auf einmal auf ihn losgeht?"

Benno drehte sich um und sah ein Mädchen, das er niemals vorher gesehen hatte, ein wildfremdes Mädchen, das es wagte, ihn anzutippen. Zuerst gaffte er nur eine Weile vor lauter Verwunderung, und dann zog ein breites Grinsen über sein Gesicht.

„Jungs", rief er, „Jungs! Laßt Willi los und schaut euch das Mädchen hier an. So was habt ihr in eurem ganzen Leben noch nicht gesehen!"

Er schlug sich auf die Knie und lachte. Und im Nu hatten sie Pippi umringt, alle außer Willi, der seine Tränen trocknete und sich vorsichtig neben Thomas stellte.

„Habt ihr gesehen, was für Haare die hat? Das reine Feuer! Und solche Schuhe! Kann ich nicht einen davon leihen? Ich möchte so gern mal Kahn fahren, aber ich hab keinen Kahn."

Dann griff er einen von Pippis Zöpfen, ließ ihn aber schnell wieder los und schrie:

„Au, ich hab mich verbrannt!"

Und dann umringten alle fünf Jungen Pippi und sprangen herum und schrien: „Rotfuchs! Rotfuchs!"

Pippi stand mitten im Kreis und lachte ganz freundlich. Benno hatte gehofft, daß sie böse werden oder anfangen würde zu weinen. Wenigstens ängstlich aussehen müßte sie. Als nichts half, gab er ihr einen Schubs.

„Ich finde, daß du kein besonders feines

Benehmen Damen gegenüber hast", sagte Pippi.

Und nun hob sie ihn mit ihren starken Armen hoch in die Luft und trug ihn zu einer Birke, die da stand, und hängte ihn quer über einen Ast. Dann nahm sie den nächsten Jungen und hängte ihn auf einen anderen Ast. Und dann nahm sie den dritten und setzte ihn auf einen Torpfosten vor einer Villa, und dann nahm sie den vierten und warf ihn über einen Zaun, daß er mitten in einem Blumenbeet landete. Und den letzten der Raufbolde setzte sie in eine ganz kleine Spielzeugkarre, die am Weg stand. Dann standen Pippi und Thomas und Annika und Willi da und sahen die Jungen eine Weile an, und die Jungen waren vollkommen stumm vor Staunen. Pippi sagte:

„Ihr seid feige. Ihr geht zu fünft auf einen einzigen Jungen los. Das ist feige. Und dann fangt ihr auch noch an, ein kleines wehrloses

Mädchen zu puffen. Pfui, wie häßlich! Kommt jetzt, wir gehn nach Hause", sagte sie zu Thomas und Annika. Und zu Willi sagte sie:

„Wenn sie noch mal versuchen, dich zu hauen, dann sag es mir."

Und zu Benno, der oben im Baum saß und sich nicht zu rühren wagte, sagte sie:

„Wenn du noch mehr über meine Haare oder meine Schuhe zu sagen hast, dann sag es am besten gleich, bevor ich nach Hause geh."

Aber Benno hatte nichts mehr über Pippis Schuhe zu sagen und auch nicht über ihre Haare. Und so nahm Pippi ihre Blechbüchse in die eine Hand und die Garnrolle in die andere und ging davon, und Thomas und Annika folgten ihr.

Als sie in Pippis Garten kamen, sagte Pippi:

„Ach, meine Lieben, wie schade! Ich hab zwei so tolle Sachen gefunden, und ihr habt nichts bekommen. Ihr müßt noch ein bißchen weitersuchen. Thomas, warum guckst du nicht in diesen alten Baum da? Alte Bäume sind gewöhnlich die allerbesten Stellen für einen Sachensucher."

Thomas sagte, er glaube nicht, daß er und Annika jemals etwas finden würden, aber um Pippi den Gefallen zu tun, steckte er die Hand in eine Vertiefung des Baumstammes. „Na, so was!" sagte er ganz erstaunt und zog die Hand heraus. Und darin hielt er ein feines Notizbuch mit einem Lederdeckel. In einer Hülse steckte ein kleiner silberner Bleistift.

„Das ist ja komisch", sagte Thomas.

„Da kannst du mal sehen!" sagte Pippi. „Es gibt nichts Schöneres, als Sachensucher zu sein. Und man muß sich nur wundern, daß nicht mehr Leute sich auf diesen Beruf werfen. Tischler und Schuhmacher und Schornsteinfeger und all so was – das können sie werden, aber Sachensucher, ach wo, das ist nichts für sie." Und dann sagte sie zu Annika: „Warum gehst du nicht zu dem alten Baumstumpf und faßt da hinein? Man findet wirklich fast immer Sachen in alten Baumstümpfen."

Annika griff hinein und hatte beinahe sofort eine rote Korallenkette in der Hand. Thomas und sie standen bloß da und gafften eine Weile, so erstaunt waren sie. Und sie dachten, daß sie jetzt jeden Tag Sachensucher sein wollten.

Pippi war die halbe Nacht aufgewesen und hatte Ball gespielt, und nun wurde sie plötzlich müde.

„Ich glaube, ich muß mich mal hinlegen", sagte sie. „Könnt ihr nicht mit reinkommen und mich zudecken?"

Als Pippi auf dem Bettrand saß und ihre Schuhe auszog, schaute sie sie nachdenklich an und sagte:

„Er wollte Kahn fahren, hat er gesagt, dieser

Benno. Puh!" Sie schnaubte verächtlich. „Ich werd ihn schon Kahn fahren lehren – ein anderes Mal!"

„Sag mal, Pippi", fragte Thomas ehrfürchtig, „warum hast du eigentlich so große Schuhe?"

„Damit ich mit den Zehen wackeln kann, weißt du", antwortete sie. Dann legte sie sich zum Schlafen hin.

Sie schlief immer mit den Füßen auf dem Kopfkissen und mit dem Kopf tief unter der Decke.

„So schlafen sie in Guatemala", versicherte sie. „Das ist die einzig richtige Art zu schlafen. Und so kann ich auch mit den Zehen wackeln, wenn ich schlafe. Könnt ihr ohne Wiegenlied einschlafen?" fuhr sie fort. „Ich muß mir immer erst eine Weile was vorsingen, sonst krieg ich kein Auge zu."

Thomas und Annika hörten es unter der Decke brummen. Das war Pippi, die sich in

Schlaf sang. Leise und vorsichtig schlichen sie hinaus, um sie nicht zu stören. An der Tür drehten sie sich um und warfen einen letzten Blick auf das Bett. Sie sahen nichts anderes als Pippis Füße auf dem Kopfkissen.

So lag sie da und wackelte nachdrücklich mit den Zehen.
Und Thomas und Annika hüpften nach Hause. Annika hielt ihre Korallenkette fest in der Hand.

„Komisch ist es aber doch", sagte sie. „Thomas, du glaubst wohl nicht – meinst du, daß Pippi die Sachen vorher hineingelegt hat?"

„Das weiß man nicht", sagte Thomas. „Bei Pippi weiß man eigentlich nie was."

DRITTES KAPITEL

Pippi spielt Fangen mit Polizisten

In der kleinen Stadt wurde es bald allgemein bekannt, daß ein neunjähriges Mädchen allein in der Villa Kunterbunt wohnte. Die Mütter und Väter der Stadt fanden, daß das durchaus nicht ginge. Alle Kinder müßten doch jemanden haben, der sie ermahnt, und alle Kinder müßten in die Schule gehen und rechnen lernen. Und darum bestimmten alle Mütter und Väter, daß das kleine Mädchen in der Villa Kunterbunt sofort in ein Kinderheim solle.

Eines schönen Nachmittags hatte Pippi Thomas und Annika zu Kaffee und Pfefferkuchen eingeladen. Sie deckte zum Kaffe auf der Verandatreppe. Da war es so sonnig und schön, und alle Blumen in Pippis Garten dufteten. Herr Nilsson kletterte am Verandageländer rauf und runter. Und hin und wieder streckte das Pferd seine Nase vor, um einen Pfefferkuchen zu kriegen.

„Wie schön ist es doch zu leben", sagte Pippi und streckte ihre Beine weit aus.

Gerade da kamen zwei Polizisten in voller Uniform durch die Gartentür.

„Oh", sagte Pippi, „ich muß heute wieder einen Glückstag haben. Polizisten sind das beste, was ich kenne – gleich nach Rhabarbergrütze."

Sie ging den Polizisten entgegen und strahlte vor Entzücken über das ganze Gesicht.

„Bist du das Mädchen, das in die Villa Kunterbunt eingezogen ist?" fragte einer der Polizisten.

„Im Gegenteil", sagte Pippi. „Ich bin eine ganz kleine Tante, die in der dritten Etage am anderen Ende der Stadt wohnt."

Pippi sagte das nur, weil sie einen Spaß machen wollte. Aber die Polizisten fanden das durchaus nicht lustig. Sie sagten, Pippi solle nicht versuchen, Witze zu machen. Und dann erzählten sie, gute Menschen in der Stadt hätten dafür gesorgt, daß Pippi einen Platz in einem Kinderheim bekäme.

„Ich hab schon einen Platz in einem Kinderheim", sagte Pippi.

„Was sagst du, ist das schon geregelt?" fragte der eine Polizist. „Wo ist das Kinderheim?"

„Hier", sagte Pippi stolz. „Ich bin ein Kind, und das hier ist mein Heim, also ist es ein Kinderheim. Und Platz habe ich hier. Reichlich Platz."

„Liebes Kind", sagte der Polizist und lachte, „das verstehst du nicht. Du mußt in ein richtiges Kinderheim und brauchst jemand, der sich um dich kümmert."

„Kann man in eurem Kinderheim Pferde haben?" fragte Pippi.

„Nein, natürlich nicht", sagte der Polizist.

„Das hab ich mir gedacht", sagte Pippi düster. „Na, aber Affen?"

„Natürlich nicht, das mußt du doch verstehen."

„Ja", sagte Pippi, „dann müßt ihr euch von anderswoher Kinder für euer Kinderheim besorgen. Ich habe nicht die Absicht, dahin zu gehen."

„Aber begreifst du nicht, daß du in die Schule gehen mußt?" sagte der Polizist.

„Wozu muß man in die Schule gehen?"

„Um alles mögliche zu lernen natürlich."

„Was alles?" fragte Pippi.

„Vieles", sagte der Polizist, „eine ganze Menge nützlicher Sachen, zum Beispiel Multiplikation, weißt du, das Einmaleins."

„Ich bin gut neun Jahre ohne Plutimikation zurechtgekommen", sagte Pippi, „da wird es auch weiter so gehen."

„Ja, aber stell dir vor, wie unangenehm es für

dich sein wird, so wenig zu wissen, wenn du mal groß bist. Vielleicht fragt dich dann jemand, wie die Hauptstadt von Portugal heißt, und du kannst keine Antwort geben."

„Doch kann ich eine Antwort geben", sagte Pippi. „Ich antworte nur: Wenn es so verzweifelt wichtig für dich ist, zu wissen, wie die Hauptstadt von Portugal heißt, dann schreib doch direkt nach Portugal und frage!"

„Ja, aber glaubst du nicht, daß es dir unangenehm sein würde, daß du es nicht selbst weißt?"

„Kann schon sein", sagte Pippi. „Vielleicht würde ich manchmal abends wachliegen und fragen und fragen: Wie in aller Welt heißt die Hauptstadt von Portugal? Na ja, man kann nicht immer nur Spaß haben", sagte Pippi und stellte sich ein bißchen auf die Hände. „Übrigens war ich mit meinem Papa in Lissabon", fuhr sie fort, während sie noch auf den Händen stand, denn auch so konnte sie reden.

Aber jetzt sagte einer der Polizisten, Pippi solle nicht glauben, daß sie machen könne, was sie wolle. Sie habe mit ins Kinderheim zu kommen, und das augenblicklich! Er ging auf sie zu und griff sie am Arm. Aber Pippi machte sich schnell los, tippte ihn ein bißchen an und sagte: „Fang mich!"

Und ehe er sich's versah, hatte sie einen Sprung auf das Verandageländer gemacht. Mit ein paar Sätzen war sie oben auf dem Balkon, der über der Veranda war. Die Polizisten hatten keine Lust, ihr auf dem gleichen Weg nachzuklettern. Sie liefen ins Haus und in das obere Stockwerk hinauf. Aber als sie auf den Balkon kamen, war Pippi schon halb auf dem Dach. Sie kletterte ungefähr so, als ob sie ein Affe wäre. Im Nu stand sie auf dem Dachfirst und sprang schnell auf den Schornstein. Unten auf dem Balkon standen die beiden Polizisten und rauften sich die Haare, und auf dem Rasen standen Thomas und Annika und schauten zu Pippi hinauf.

„Ist *das* lustig, Fangen zu spielen!" schrie Pippi. „Und wie nett von euch herzukommen. Auch heute hab ich meinen Glückstag, das ist klar."

Nachdem die Polizisten eine Weile überlegt hatten, gingen sie runter und holten eine Leiter, die sie gegen den Hausgiebel lehnten. Und nun kletterten sie hinauf, zuerst der eine und dann der andere, um Pippi runterzuholen. Doch sie sahen etwas ängstlich aus, als sie auf dem Dachfirst ankamen und auf Pippi zu balancierten.

„Habt keine Angst", rief Pippi, „es ist nicht gefährlich. Nur lustig."

Als die Polizisten noch zwei Schritte von Pippi entfernt waren, sprang sie schnell vom Schornstein runter, und unter Geschrei und Gelächter lief sie den Dachfirst entlang zum anderen Giebel. Ein paar Meter vom Haus entfernt stand ein Baum.

„Jetzt tauche ich!" schrie Pippi, und dann sprang sie direkt in die grüne Baumkrone hinunter, hängte sich an einen Ast, schaukelte ein bißchen hin und her und ließ sich schließlich auf die Erde fallen. Und dann schoß sie zum anderen Giebel und nahm die Leiter weg.

Die Polizisten hatten etwas verdutzt ausgesehen, als Pippi sprang, aber noch verdutzter, als sie auf dem Dachfirst entlang zurückbalanciert waren und die Leiter wieder runterklettern wollten. Jetzt wurden sie furchtbar böse und riefen Pippi, die unten stand und sie anschaute, zu, sie solle sofort die Leiter wieder hinstellen, sonst würde sie etwas erleben.

„Warum seid ihr so böse?" fragte Pippi vorwurfsvoll. „Wir spielen ja bloß Fangen, und da soll man sich doch vertragen, finde ich."

Die Polizisten überlegten eine Weile, und schließlich sagte der eine mit verlegener Stimme:

„Also hör mal, willst du nicht so nett sein

und die Leiter hinstellen, daß wir runterkommen können?"

„Klar will ich das", sagte Pippi und stellte
sofort die Leiter hin. „Und dann können wir
wohl Kaffee trinken und es uns ein bißchen
gemütlich machen."

Aber die Polizisten waren wirklich hinterli-
stig, denn sobald sie unten waren, stürzten
sie sich auf Pippi und schrien:

„Jetzt kriegst du's aber, du abscheuliches
Ding!"

Aber Pippi sagte:

„Nein, jetzt hab ich keine Zeit mehr weiter-
zuspielen. Obwohl es ja ganz lustig ist, das
geb ich zu."

Und sie packte die beiden Polizisten am
Gürtel und trug sie den Gartenweg entlang
durch die Gartentür auf die Straße hinaus.
Da setzte sie sie ab, und es dauerte eine ganze
Weile, ehe sie soweit waren, daß sie sich
bewegen konnten.

„Wartet mal", rief Pippi und lief in die Küche. Sie kam mit ein paar Pfefferkuchenherzen zurück.

„Wollt ihr probieren?" fragte sie freundlich. „Es macht wohl nichts, daß sie ein bißchen verbrannt sind?"

Dann ging sie zurück zu Thomas und Annika, die mit aufgerissenen Augen dastanden und nur staunten. Und die Polizisten beeilten sich, daß sie in die Stadt zurückkamen, und erzählten allen Müttern und Vätern, Pippi wäre nicht richtig für ein Kinderheim geeignet. Sie sagten nichts davon, daß sie oben auf dem Dach gewesen waren. Und die Mütter und Väter meinten, es wäre wohl am besten, Pippi in der Villa Kunterbunt wohnen zu lassen. Und wenn sie in die Schule gehen wollte, könnte sie ja selbst dafür sorgen.

Pippi und Thomas und Annika hatten einen richtig gemütlichen Nachmittag. Sie setzten das unterbrochene Kaffeefest fort. Pippi stopfte vierzehn Pfefferkuchen in sich hinein, und dann sagte sie:

„Die waren nicht das, was ich unter richtigen Polizisten verstehe. Nee! Viel zuviel Gerede von Kinderheim und Plutimikation und Lissabon."

Dann hob sie das Pferd von der Veranda, und sie ritten alle drei auf ihm. Annika hatte zuerst Angst und wollte nicht, aber als sie sah, wieviel Spaß Thomas und Pippi hatten, durfte Pippi sie auch auf den Pferderücken heben. Und das Pferd trabte im Garten herum, immer rundherum, und Thomas sang: „Hier kommen die Schweden mit Krach und Radau!"

Als Thomas und Annika abends ins Bett gegangen waren, sagte Thomas:

„Annika, findest du es nicht schön, daß Pippi hierher gezogen ist?"

„Klar, das finde ich", sagte Annika.

„Ich kann mich nicht mal mehr erinnern, was wir vorher gespielt haben, bevor sie her-kam. Erinnerst du dich?"

„Tja, wir haben Krocket und all so was gespielt", sagte Annika. „Aber ich finde, es ist viel lustiger mit Pippi. Und mit Pferden und Affen."

VIERTES KAPITEL

Pippi geht in die Schule

Thomas und Annika gingen natürlich in die Schule. Jeden Morgen um acht Uhr trabten sie, die Schulbücher unterm Arm, Hand in Hand los.

Während dieser Zeit war Pippi meistens damit beschäftigt, ihr Pferd zu striegeln oder Herrn Nilsson seinen kleinen Anzug anzuziehen. Oder sie machte ihre Morgengymnastik. Das ging so: Sie stellte sich kerzengerade auf den Fußboden und schlug dann dreiundvierzig Purzelbäume hintereinander. Danach setzte sie sich auf den Küchentisch und trank in aller Seelenruhe eine große Tasse Kaffee und aß ein Käsebrot.

Thomas und Annika schauten immer sehnsüchtig zur Villa Kunterbunt, wenn sie sich auf den Weg zur Schule machten. Sie wären viel lieber hineingegangen und hätten mit Pippi gespielt. Wenn Pippi wenigstens mit in die Schule gekommen wäre, dann hätte es einigermaßen Spaß gemacht.

„Stell dir bloß mal vor, was für einen Spaß wir zusammen auf dem Weg nach Hause haben könnten", sagte Thomas.

„Ja, auch wenn wir zusammen hingingen", meinte Annika.

Und je mehr sie daran dachten, desto langweiliger fanden sie es, daß Pippi nicht in die Schule ging, und sie beschlossen, sie zu überreden, mit in die Schule zu kommen.

„Du ahnst nicht, was für eine nette Lehrerin wir haben", sagte Thomas eines Nachmittags listig zu Pippi, als sie zu Besuch in die Villa Kunterbunt kamen, nachdem sie erst ordentlich ihre Schularbeiten gemacht hatten.

„Wenn du wüßtest, wie lustig es in der

Schule ist", beteuerte Annika. „Ich würde verrückt werden, wenn ich nicht hingehen dürfte."

Pippi saß auf einem Hocker und war dabei, ihre Füße in einer Schüssel zu waschen. Sie sagte nichts, sie wackelte bloß ein bißchen mit den Zehen, daß das Wasser nur so spritzte.

„Man braucht nicht so schrecklich lange dazubleiben, nur bis zwei Uhr", fuhr Thomas fort.

„Ja, und dann bekommt man Weihnachtsferien und Osterferien und Sommerferien", sagte Annika.

Pippi biß sich nachdenklich in ihre große Zehe, saß aber weiter schweigend da. Plötzlich schüttete sie entschlossen das ganze Wasser auf den Fußboden, so daß Herrn Nilssons Hosen ganz naß wurden, denn er hatte dagesessen und mit einem Spiegel gespielt.

„Das ist ungerecht", sagte Pippi streng, ohne sich um Herrn Nilssons Verzweiflung über die nassen Hosen zu kümmern. „Das ist absolut ungerecht! Ich laß mir das nicht gefallen!"

„Was denn?" fragte Thomas.

„In vier Monaten ist Weihnachten, und da kriegt ihr Weihnachtsferien. Aber ich, was krieg ich?" Pippis Stimme klang traurig. „Keine Weihnachtsferien, nicht das allerkleinste bißchen Weihnachtsferien", sagte sie klagend. „Das muß anders werden. Morgen fange ich mit der Schule an."

Thomas und Annika klatschten vor Begeisterung in die Hände. „Hurra! Dann warten wir auf dich um acht Uhr vor unserer Tür."

„Nee, nee", sagte Pippi, „so früh kann ich nicht anfangen. Und übrigens reite ich zur Schule."

Und das tat sie. Pünktlich um zehn Uhr am nächsten Tag hob sie ihr Pferd von der Veranda, und eine Weile später stürzten alle Leute in der kleinen Stadt an die Fenster, um zu sehen, was für ein Pferd da durchgegangen war. Das heißt, sie glaubten, daß es durchgegangen wäre. Aber das war es nicht. Es war nur Pippi, die es etwas eilig hatte, in die Schule zu kommen.

In rasendem Galopp sprengte sie in den Schulhof hinein, sprang mitten im Galopp vom Pferd, band es an einen Baum und riß die Tür zum Klassenzimmer mit einem Ruck auf, so daß Thomas und Annika und ihre netten Klassenkameraden in ihren Bänken aufsprangen.

„Hallo", rief Pippi und schwenkte ihren großen Hut. „Komme ich gerade richtig zur Plutimikation?"

Thomas und Annika hatten ihrer Lehrerin erzählt, daß ein neues Mädchen kommen würde, das Pippi Langstrumpf hieß. Und die Lehrerin hatte in der Stadt schon von Pippi reden hören. Und da sie eine sehr liebe und nette Lehrerin war, hatte sie beschlossen, alles zu tun, damit es Pippi in der Schule gefiel.

Pippi warf sich auf eine leere Bank, ohne daß sie jemand dazu aufgefordert hatte. Aber die Lehrerin kümmerte sich nicht um ihre lässige Art. Sie sagte nur ganz freundlich:

„Willkommen in der Schule, kleine Pippi. Ich hoffe, daß es dir gefällt und daß du recht viel lernst."

„Ja, und ich hoffe, daß ich Weihnachtsferien krieg", sagte Pippi. „Deshalb bin ich hergekommen. Gerechtigkeit vor allem!"

„Wenn du mir jetzt erst einmal deinen vollständigen Namen sagen willst, dann schreibe ich dich in das Klassenbuch ein."

„Ich heiße Pippilotta Viktualia Rollgardina Pfefferminz Efraimstochter Langstrumpf, Tochter von Kapitän Efraim Langstrumpf, früher der Schrecken der Meere, jetzt

Negerkönig. Pippi ist eigentlich nur mein Kosename, denn Papa meinte, Pippilotta wäre zu lang."

„Aha", sagte die Lehrerin. „Dann wollen wir dich also auch Pippi nennen. Aber was meinst du, wollen wir jetzt nicht mal sehen, was du weißt? Du bist ja ein großes Mädchen und kannst sicher schon eine ganze Menge. Wir wollen mit Rechnen anfangen. Na, Pippi, kannst du mir sagen, wieviel 7 und 5 ist?"

Pippi sah die Lehrerin erstaunt und ärgerlich an. Dann sagte sie:

„Ja, wenn du das nicht selbst weißt, denk ja nicht, daß ich es dir sage."

Alle Kinder starrten Pippi entsetzt an. Und die Lehrerin erklärte ihr, daß man in der Schule solche Antworten nicht geben dürfe. Man dürfe die Lehrerin auch nicht mit „du" anreden, sondern man müsse „Fräulein" und „Sie" sagen.

„Ich bitte sehr um Verzeihung", sagte Pippi bedauernd. „Das wußte ich nicht. Ich will es nicht wiedertun."

„Nein, das will ich hoffen", sagte die Lehrerin. „Und jetzt will ich dir sagen: 7 und 5 ist 12."

„Sieh mal an", sagte Pippi, „du wußtest es ja. Warum fragst du dann? Ach, ich Schaf, jetzt sag ich wieder ‚du‘ zu dir. Verzeihung", sagte sie und kniff sich selbst ordentlich ins Ohr.

Die Lehrerin beschloß, darüber hinwegzugehen, und setzte die Prüfung fort.

„Na, Pippi, wieviel, glaubst du, ist 8 und 4?"

„So ungefähr 67", meinte Pippi.

„Aber nein", sagte die Lehrerin, „8 und 4 ist 12."

„Nein, meine Liebe, das geht zu weit", sagte Pippi. „Eben erst hast du gesagt, 7 und 5 ist 12. Ordnung muß sein, selbst in einer Schule. Übrigens, wenn du so eine kindische

Freude an solchen Dummheiten hast, warum setzt du dich nicht allein in eine Ecke und rechnest und läßt uns in Ruhe, damit wir Fangen spielen können? – Aber nein, jetzt sage ich ja *wieder* ‚du'!" schrie sie entsetzt. „Kannst du mir nur noch dieses letzte Mal verzeihen? Dann will ich versuchen, in Zukunft besser daran zu denken."

Die Lehrerin sagte, sie wolle das tun. Aber sie glaubte nicht, daß es Zweck hätte, Pippi mehr Rechnen beizubringen. Sie fragte statt dessen die anderen Kinder.

„Kannst du mir die Frage beantworten, Thomas: Wenn Lisa 7 Äpfel hat und Anton hat 9, wieviel Äpfel haben sie zusammen?"

„Ja, sag es, Thomas", fiel Pippi ein. „Und dann kannst du mir gleich auch noch sagen, warum Lisa Bauchschmerzen kriegt und Anton noch mehr Bauchschmerzen und wessen Schuld das ist und wo sie die Äpfel geklaut haben."

Die Lehrerin versuchte so auszusehen, als ob sie nichts gehört hätte, und wandte sich an Annika.

„Jetzt bekommst du eine Aufgabe, Annika: Gustav hat mit seinen Freunden einen Schulausflug gemacht. Er hatte eine Krone, als er abfuhr, und sieben Öre, als er zurückkam. Wieviel hat er verbraucht?"

„Ja, gewiß", sagte Pippi, „und dann möchte ich wissen, warum er so verschwenderisch war und ob er Limonade gekauft hat und ob er sich die Ohren richtig gewaschen hat, bevor er von zu Hause wegging."

Die Lehrerin beschloß, das Rechnen aufzugeben. Sie meinte, daß es Pippi vielleicht mehr Spaß machen würde, lesen zu lernen. Sie holte ein kleines, hübsches Bild hervor, auf dem ein Igel zu sehen war. Vor der Nase des Igels stand der Buchstabe i.

„Jetzt, Pippi, zeig ich dir was Schönes", sagte sie schnell. „Hier siehst du einen Iiiigel, und dieser Buchstabe vor dem Iiiigel heißt i."

„Ach, das glaub ich im Leben nicht", sagte Pippi. „Ich finde, das sieht aus wie ein gerader Strich mit einem kleinen Fliegendreck drauf. Aber ich möchte wirklich gern wissen, was der Igel mit dem Fliegendreck zu tun hat."

Die Lehrerin nahm das nächste Bild, auf dem eine Schlange war, und sagte zu Pippi, daß der erste Buchstabe S hieße.

„Da wir gerade von Schlangen reden", sagte Pippi, „ich werde niemals vergessen, wie ich mit der Riesenschlange in Indien gekämpft hab. Das war so eine gräßliche Schlange, das könnt ihr euch nicht vorstellen, vierzehn Meter lang war sie und wütend wie eine Biene, und jeden Tag fraß sie fünf Inder und zwei kleine Kinder zum Nachtisch, und einmal wollte sie mich zum Nachtisch haben, und sie wand sich um mich herum –

kratsch –, aber ‚Man ist schließlich Seefahrer gewesen‘, sagte ich und gab ihr eins auf den Kopf – bum –, und da zischte sie – uiuiuiuitsch –, und da schlug ich noch einmal zu – bum – und hapuh –, dann starb sie – ja, ach so, das ist also der Buchstabe S – höchst merkwürdig!“

Pippi mußte etwas Atem holen. Und die Lehrerin, die begriffen hatte, daß Pippi ein unruhiges und schwieriges Kind war, schlug vor, die Klasse solle jetzt etwas zeichnen. Sicher würde Pippi dann still und ruhig sitzen, dachte die Lehrerin. Und sie holte Papier und Bleistifte und verteilte sie an die Kinder.

„Ihr könnt zeichnen, was ihr wollt“, sagte sie und setzte sich ans Pult und begann, Hefte durchzusehen.

Nach einer Weile blickte sie auf, um zu sehen, wie es mit dem Zeichnen ginge. Da saßen alle Kinder und schauten Pippi zu, die auf dem Fußboden lag und nach Herzenslust zeichnete.

„Ja, aber Pippi", sagte die Lehrerin ungeduldig, „warum nimmst du nicht das Papier?"

„Das ist schon längst voll, aber auf dem lumpigen Stückchen Papier hat mein ganzes Pferd nicht Platz", sagte Pippi. „Gerade eben bin ich bei den Vorderbeinen, aber wenn ich zum Schwanz komme, muß ich wohl auf den Flur rausgehen."

Die Lehrerin dachte eine Weile angestrengt nach.

„Was meint ihr, wollen wir jetzt mal ein kleines Lied singen?"

Alle Kinder standen auf, alle außer Pippi, die immer noch auf dem Fußboden lag.

„Singt ruhig, ich erhole mich inzwischen ein bißchen", sagte sie. „Zuviel Gelehrsamkeit kann selbst den Gesündesten kaputtmachen."

Aber jetzt war die Geduld der Lehrerin zu

Ende. Sie bat die Kinder, auf den Schulhof hinauszugehen, denn sie wollte mit Pippi sprechen. Als die Lehrerin und Pippi allein waren, stand Pippi schnell auf und ging nach vorn zum Pult.

„Weißt du was", sagte sie, „ich meine, weißt du was, Fräulein? Es war furchtbar lustig, daß ich hier war, und jetzt weiß ich, wie es bei euch ist. Aber ich glaube nicht, daß ich mir viel daraus mache, weiter in die Schule zu gehen. Meinetwegen soll es mit den Weihnachtsferien sein, wie es will. Hier gibt's mir viel zuviel Äpfel und Igel und Schlangen und all so was. Mir wird ganz schwindlig. Ich hoffe, Fräulein, daß du deswegen nicht traurig bist."

Aber da antwortete die Lehrerin, daß sie sehr traurig wäre, vor allen Dingen deswegen, weil Pippi nicht versuchen wolle, sich ordentlich zu benehmen, und daß kein Mädchen, das sich wie Pippi aufführe, in die

Schule gehen dürfe, wenn sie auch noch so gern möchte.

„Hab ich mich schlecht benommen?" fragte Pippi ganz erstaunt. „Ja aber, das wußte ich nicht", sagte sie und sah ganz unglücklich aus.

Keiner konnte so betrübt aussehen wie Pippi, wenn sie traurig war. Sie stand eine Weile stumm da, dann sagte sie mit zitternder Stimme:

„Du mußt verstehen, Fräulein, wenn man eine Mama hat, die ein Engel ist, und einen Papa, der Negerkönig ist, und wenn man selbst ein ganzes Leben lang auf dem Meer gesegelt ist, weiß man nicht, wie man sich in der Schule zwischen all den Äpfeln und Igeln benehmen soll."

Da sagte die Lehrerin, daß sie das verstehe und daß sie nicht mehr böse auf Pippi wäre und daß Pippi vielleicht wieder in die Schule kommen könne, wenn sie etwas älter wäre.

Und da antwortete Pippi freudestrahlend: „Ich finde, du bist furchtbar nett, Fräulein, und hier geb ich dir was!"

Und sie zog eine kleine goldene Uhr aus der Tasche, die sie aufs Pult legte. Die Lehrerin sagte, sie könne so was Kostbares nicht annehmen, aber da sagte Pippi:

„Du mußt! Sonst komme ich morgen wieder, und das würde ein schöner Spektakel werden!"

Dann stürmte sie auf den Schulhof hinaus und sprang mit einem Satz aufs Pferd. Alle Kinder drängten sich um sie, um das Pferd zu streicheln und Pippis Abgang zu sehen.

„Da lobe ich mir die Schulen in Argentinien", sagte Pippi und sah auf die Kinder herunter. „Dort solltet ihr hingehen. Da fangen die Osterferien drei Tage nach den Weihnachtsferien an, und wenn die Osterferien zu Ende sind, dauert es drei Tage, und dann fangen die Sommerferien an. Die Sommerferien hören am 1. November auf, und dann muß man sich natürlich ordentlich abrakkern, bis am 11. November die Weihnachtsferien anfangen. Aber das muß man aushalten. Jedenfalls hat man keine Schularbeiten. In Argentinien ist es streng verboten, Schularbeiten zu machen. Manchmal kommt es vor, daß sich ein argentinisches Kind in einen Schrank schleicht und Schularbeiten macht. Aber wehe, wenn seine Mama das sieht. Rechnen haben sie dort überhaupt nicht in den Schulen, und wenn es ein Kind gibt, das weiß, wieviel 7 und 5 ist, muß es den ganzen Tag in der Ecke stehen, falls es so dumm ist, das der Lehrerin zu erzählen. Lesen haben sie nur freitags, aber nur dann, wenn es Bücher gibt, in denen sie lesen können. Aber es gibt niemals welche."

Die Kinder sahen verdutzt aus.

„Ja, aber was machen sie denn in der Schule?" fragte ein kleiner Junge.

„Sie essen Bonbons", sagte Pippi bestimmt. „Von einer Bonbonfabrik in der Nähe führt ein langes Rohr direkt ins Schulzimmer, und da kommen den ganzen Tag Bonbons raus, und die Kinder haben genug damit zu tun, sie aufzuessen."

„Ja, aber was macht dann die Lehrerin?" fragte ein Mädchen.

„Sie macht das Papier von den Bonbons für die Kinder ab, du Dummchen", sagte Pippi. „Du glaubst doch nicht etwa, daß sie das selbst machen? Bestimmt nicht. Die gehen nicht mal selbst in die Schule. Die schicken ihren Bruder."

Pippi schwenkte ihren großen Hut.

„Tschüs, Kinder", rief sie vergnügt. „Jetzt kriegt ihr mich eine Weile nicht zu sehen. Aber vergeßt nicht, wie viele Äpfel Anton hatte, sonst werdet ihr unglücklich. Ha-haha!"

Mit schallendem Gelächter ritt Pippi durch

die Pforte, daß die Steinchen um die Pferde-
hufe flogen und die Fensterscheiben der
Schule klirrten.

FÜNFTES KAPITEL

Pippi sitzt auf dem Gartenzaun und klettert in den hohlen Baum

Vor der Villa Kunterbunt saßen Pippi, Thomas und Annika. Pippi saß auf dem einen Pfeiler, Annika auf dem anderen, und Thomas saß auf der Gartentür. Es war ein warmer und schöner Tag Ende August. Ein Birnbaum, der direkt hinter dem Zaun stand, streckte seine Zweige so weit herunter, daß die Kinder die kleinen, goldroten Augustbirnen ohne große Mühe abpflücken konnten. Sie kauten und aßen und spuckten die Kerngehäuse auf den Weg.

Die Villa Kunterbunt stand gerade da, wo die kleine Stadt aufhörte und das Land anfing und wo die Straße direkt in die Landstraße überging. Die Leute der kleinen Stadt gingen gern spazieren in dieser Gegend, denn hier war die Umgebung der Stadt am schönsten.

Wie sie so dasaßen und Birnen aßen, kam ein

Mädchen den Weg von der Stadt her. Als es die Kinder sah, blieb es stehen und fragte:

„Habt ihr meinen Vater hier vorbeigehen sehen?"

„Mja", sagte Pippi, „wie sieht er aus? Hat er blaue Augen?"

„Ja", sagte das Mädchen.

„Richtig groß, nicht zu groß und nicht zu klein?"

„Ja", sagte das Mädchen.

„Schwarzer Hut und schwarze Schuhe?"

„Ja, ganz richtig", sagte das Mädchen eifrig.

„Nein, den haben wir nicht gesehen", sagte Pippi bestimmt.

Das Mädchen sah enttäuscht aus und ging ohne ein Wort weiter.

„Warte mal", schrie Pippi hinter ihr her. „Hat er eine Glatze?"

„Nein, natürlich nicht", sagte das Mädchen böse.

„Da hat er Glück gehabt", sagte Pippi und spuckte ein Kerngehäuse aus.

Das Mädchen lief eilig weiter, aber Pippi rief: „Hat er unnatürlich große Ohren, die bis zu den Schultern reichen?"

„Nein", sagte das Mädchen und drehte sich erstaunt um. „Du willst doch nicht behaupten, daß du einen Mann mit so großen Ohren hast vorbeigehen sehen?"

„Ich hab niemals jemand gesehen, der mit den Ohren geht. Alle, die ich kenne, gehen mit den Füßen."

„Ach, bist du blöd! Ich meine, hast du wirklich einen Mann gesehen, der so große Ohren hat?"

„Nee", sagte Pippi, „es gibt keinen Menschen, der so große Ohren hat. Das wäre ja komisch. Wie würde das aussehen? So große Ohren kann man nicht haben. Jedenfalls nicht hier in diesem Land", fügte sie nach einer nachdenklichen Pause hinzu. „In China ist das ja was anderes. Ich hab mal in Shanghai einen Chinesen gesehen. Seine Ohren waren so groß, daß er sie als Umhang benutzen konnte. Wenn es regnete, kroch er unter die Ohren, und darunter war es so warm und schön, wie man sich nur denken kann. Obwohl die Ohren es auch ganz gemütlich hatten. Wenn besonders schlechtes Wetter war, lud er seine Freunde und Bekannten ein, unter seine Ohren zu kommen. Da saßen sie dann und sangen ihre schwermütigen Lieder, bis der Regen vorüber war. Sie hatten ihn seiner Ohren wegen sehr gern. Hai Shang hieß er. Ihr hättet mal sehen sollen, wenn Hai Shang morgens zu seiner Arbeit lief. Er kam immer in der letzten Minute angerannt, denn er schlief so gern lange, und ihr könnt euch nicht vorstellen, wie hübsch das aussah, wenn er angesaust kam und die Ohren wie zwei große gelbe Segel hinter ihm her flatterten."

Das Mädchen war stehengeblieben und hörte Pippi mit offenem Mund zu. Und Thomas und Annika konnten nicht mehr weiteressen, sie waren vollauf damit beschäftigt zuzuhören.

„Er hatte mehr Kinder, als er zählen konnte, und das kleinste hieß Peter", sagte Pippi.

„Ja, aber ein Chinesenkind kann doch nicht Peter heißen", wandte Thomas ein.

„Das hat seine Frau auch zu ihm gesagt. ‚Ein Chinesenkind kann doch nicht Peter heißen', sagte sie. Aber Hai Shang war so furchtbar eigensinnig, und er sagte, das Kind solle entweder Peter heißen oder gar nichts. Und dann setzte er sich in eine Ecke und zog die Ohren über den Kopf und maulte. Und da mußte seine arme Frau natürlich nachgeben, und das Kind bekam den Namen Peter."

„Ach so", sagte Annika.

„Peter war das schwierigste Kind, das es in ganz Shanghai gab", fuhr Pippi fort. „Nörglig beim Essen, so daß die Mutter ganz unglücklich war. Ihr wißt ja, daß man in China Schwalbennester ißt? Und da saß die Mutter mit einem ganzen Teller voller Schwalbennester und wollte ihn füttern. ‚So, Peterlein', sagte sie, ‚jetzt essen wir ein

Schwalbennest für Papa.' Aber Peter kniff bloß seinen Mund zusammen und schüttelte den Kopf. Schließlich wurde Hai Shang so böse, daß er sagte, Peter sollte kein anderes Essen kriegen, bevor er nicht ein Schwalbennest für den Vater gegessen hätte. Und wenn Hai Shang etwas gesagt hatte, so blieb es dabei. Von Mai bis Oktober ging das Schwalbennest zur Küche raus und wieder rein. Am 14. Juli bettelte die Mutter, ob sie Peter nicht ein paar Fleischklöße geben dürfe, aber Hai Shang sagte nein."

„So ein Quatsch", sagte das Mädchen auf der Straße.

„Ja, das hat Hai Shang auch gesagt", fuhr Pippi fort. „,So ein Quatsch', hat er gesagt, ,es ist klar, daß der Junge das Schwalbennest essen kann, wenn er bloß aufhört, so störrisch zu sein.' Aber Peter kniff nur die ganze Zeit von Mai bis Oktober den Mund zusammen."

„Ja, aber wie konnte er da leben?" fragte Thomas verwundert.

„Er konnte nicht leben", sagte Pippi. „Er starb. Aus reinem Trotz. Am 18. Oktober. Und am 19. wurde er begraben. Und am 20. kam eine Schwalbe durchs Fenster geflogen und legte ein Ei ins Schwalbennest, das auf dem Tisch lag. So war es jedenfalls noch zu etwas nütze. Kein Schaden war geschehen", sagte Pippi fröhlich. Dann schaute sie nachdenklich das Mädchen an, das ganz verwirrt dastand.

„Wie komisch du aussiehst", sagte Pippi. „Was ist los? Du glaubst wohl, daß ich hier sitze und lüge? Was? Dann sag es nur", sagte Pippi drohend und krempelte die Ärmel hoch.

„Nein, nein", sagte das Mädchen erschrokken. „Ich will nicht gerade behaupten, daß du lügst, aber..."

„Nicht?" sagte Pippi. „Aber genau das tu

ich. Ich lüge so, daß meine Zunge schwarz wird, hörst du das nicht? Glaubst du wirklich, daß ein Kind von Mai bis Oktober ohne Essen leben kann? Natürlich weiß ich, daß Kinder so drei, vier Monate gut und gerne ohne Essen auskommen können, aber von Mai bis Oktober, das ist zu dumm. Du mußt doch merken, daß das gelogen ist. Du darfst dir doch nicht alles mögliche von den Leuten einreden lassen!"

Da lief das Mädchen davon und drehte sich nicht mehr um.

„Wie leichtgläubig Leute sein können", sagte Pippi zu Thomas und Annika. „Von Mai bis Oktober! So was Dummes!" Dann rief sie dem Mädchen nach:

„Nee, wir haben deinen Papa nicht gesehen! Wir haben den ganzen Tag keinen Glatzkopf gesehen! Aber gestern sind siebzehn Stück vorbeigekommen, Arm in Arm!"

Pippis Garten war wirklich wunderbar.

Gepflegt war er nicht, nein, aber es gab eine herrliche Wiese, die niemals gemäht wurde, und alte Rosensträucher, die voll von weißen und gelben und rosa Rosen waren. Nicht besonders feine Rosen, aber sie dufteten lieblich. Es gab auch ziemlich viele Obstbäume und – das beste von allem – einige uralte Eichen und Ulmen, in denen man prima klettern konnte. Pippi tat das jedenfalls oft.

In Thomas' und Annikas Garten war es mit Kletterbäumen schlecht bestellt, ihre Mama hatte immer Angst, daß sie runterfallen und sich weh tun würden. Deshalb waren sie bisher noch nicht so viel geklettert. Aber jetzt sagte Pippi:

„Wollen wir nicht in diese Eiche da raufklettern?"

Thomas rutschte sofort vom Zaun herunter, begeistert von dem Vorschlag. Annika hatte etwas mehr Bedenken, aber als sie sah, daß der Baumstamm große Vorsprünge hatte, auf die man seinen Fuß setzen konnte, fand sie auch, daß es lustig wäre, es zu versuchen. Ein paar Meter über der Erde teilte sich die Eiche in zwei Stämme, und da, wo sie sich teilte, war es fast wie ein kleines Zimmer. Bald saßen alle drei Kinder dort oben sehr gemütlich. Über ihren Köpfen breitete die Eiche ihre Krone aus wie ein großes grünes Dach.

„Hier könnten wir Kaffee trinken", sagte Pippi. „Ich lauf schnell rein und koch uns einen Schluck."

Thomas und Annika klatschten in die Hände und riefen: „Bravo!"

Es dauerte nicht lange, bis Pippi den Kaffee fertig hatte. Und am Tag vorher hatte sie Brötchen gebacken. Sie stellte sich unter die Eiche und fing an, die Kaffeetassen raufzuwerfen. Thomas und Annika fingen sie auf. Manchmal war es die Eiche, die sie auffing, so daß die Tassen kaputtgingen. Aber Pippi lief ins Haus und holte neue. Dann kamen die Brötchen an die Reihe, und eine Zeitlang schwirrten Brötchen in der Luft herum. Die gingen nicht kaputt. Zuletzt kletterte Pippi mit der Kaffeekanne in der einen Hand hinauf. Sahne hatte sie in einer Flasche in der Tasche und Zucker in einer kleinen Schachtel.

Thomas und Annika fanden, daß ihnen Kaffee noch nie so gut geschmeckt hatte. An Wochentagen bekamen sie sonst keinen Kaffee, nur wenn sie eingeladen waren. Und jetzt waren sie ja eingeladen. Annika goß etwas Kaffee auf ihr Kleid. Erst war es warm und naß, und dann wurde es kalt und naß, aber das machte nichts, sagte Annika. Als sie fertig waren, warf Pippi die Tassen auf den Rasen hinunter.

„Ich will sehen, wie haltbar Porzellan heutzutage ist", sagte sie. Eine Tasse und alle

Untertassen blieben merkwürdigerweise heil. Und von der Kaffeekanne ging nur die Tülle ab.

Plötzlich fing Pippi an, etwas höher hinaufzuklettern.

„Hat man so was gesehen!" rief sie auf einmal. „Der Baum ist hohl!"

Im Stamm war ein großes Loch, das die Kinder nicht sehen konnten, weil es durch Laub verdeckt war.

„Oh, darf ich auch raufkommen und gukken?" fragte Thomas. Aber er bekam keine Antwort. „Pippi, wo bist du?" rief er ängstlich.

Da hörten sie Pippis Stimme, aber nicht von oben, sondern von tief unten. Es klang, als ob sie aus der Unterwelt käme.

„Ich bin im Baum drin. Der ist hohl bis runter auf die Erde. Wenn ich durch einen kleinen Spalt schaue, kann ich die Kaffeekanne auf dem Rasen sehen."

„Oh, wie willst du wieder raufkommen?" schrie Annika.

„Ich komm nie mehr rauf", sagte Pippi. „Ich bleib hier, bis ich pensioniert werde, und ihr müßt mir durch das Loch da oben Essen runterwerfen. Fünf-, sechsmal am Tag."

Annika fing an zu weinen.

„Warum trauern, warum klagen", sagte Pippi. „Kommt lieber auch runter, dann können wir spielen, daß wir in einer Räuberhöhle schmachten."

„Niemals im Leben", sagte Annika. Vorsichtshalber kletterte sie ganz vom Baum herunter.

„Annika, ich seh dich durch den Spalt!" schrie Pippi. „Tritt nicht auf die Kaffeekanne. Das ist eine alte, nette Kaffeekanne, die keinem Menschen was zuleide getan hat. Und sie kann ja nichts dafür, daß sie keine Tülle mehr hat."

Annika ging zum Baumstamm, und durch

einen kleinen Spalt sah sie die alleräußerste Spitze von Pippis Zeigefinger. Das tröstete sie etwas, aber sie war immer noch besorgt. „Pippi, kannst du wirklich nicht raufkommen?" fragte sie.

Pippis Zeigefinger verschwand, und es dauerte keine Minute, bis ihr Gesicht durch das Loch oben im Baum zum Vorschein kam.

„Vielleicht kann ich, wenn ich mir Mühe geb", sagte sie und hielt das Laub mit den Händen weg.

„Wenn es so leicht ist, wieder raufzukommen", sagte Thomas, der immer noch im Baum saß, „dann will ich auch runterkommen und ein bißchen schmachten."

„Nja", sagte Pippi, „ich glaube, es ist besser, wir holen eine Leiter."

Sie kletterte aus dem Baum heraus und ließ sich rasch auf die Erde herunter. Dann lief sie nach einer Leiter, schleppte sie auf den Baum und schob sie in das Loch.

Thomas war ganz wild darauf hinunterzuklettern. Es war ziemlich mühsam, zu dem Loch zu kommen, denn das war hoch oben, aber Thomas hatte Mut. Er hatte auch keine Angst davor, in den dunklen Baumstamm hinunterzusteigen. Annika sah ihn verschwinden, und sie fragte sich, ob sie ihn jemals wiedersehen würde. Sie versuchte, durch den Spalt zu gucken.

„Annika", hörte sie Thomas' Stimme, „du kannst dir nicht vorstellen, wie wunderbar es hier ist. Du *mußt* auch runterkommen. Es ist kein bißchen gefährlich, wenn du eine Leiter hast, auf die du treten kannst. Wenn du das nur einmal gemacht hast, willst du später nichts andres mehr machen."

„Stimmt das?" fragte Annika.

„Absolut", sagte Thomas.

Da kletterte Annika mit zitternden Beinen wieder auf den Baum, und Pippi half ihr bei dem letzten schweren Stück. Annika schreckte etwas zurück, als sie sah, wie dunkel es drinnen im Baumstamm war. Aber Pippi hielt ihre Hand und redete ermunternd auf sie ein.

„Hab keine Angst, Annika", hörte sie Thomas von unten. „Jetzt seh ich deine Füße, und ich fang dich auf, wenn du runterfällst." Aber Annika fiel nicht, sondern kam glücklich und wohlbehalten bei Thomas an. Und einen Augenblick später kam Pippi nach.

„Ist es nicht schön hier?" fragte Thomas. Und das mußte Annika zugeben. Es war gar nicht so dunkel, wie sie geglaubt hatte, denn durch den Spalt fiel Licht herein. Annika ging hin und schaute, ob sie auch die Kaffeekanne draußen auf dem Rasen sehen konnte.

„Das hier soll unser Versteck sein", sagte Thomas. „Niemand weiß, daß wir hier sind. Und wenn sie draußen vorbeigehen und uns suchen, können wir sie durch den Spalt sehen. Und dann lachen wir."

„Wir können ein Stück Holz mitnehmen und es durch den Spalt stecken und sie damit kitzeln", sagte Pippi. „Dann glauben sie, daß es spukt."

Bei diesem Gedanken freuten sie sich so, daß sie einander umarmten. Da hörten sie den Gong, der zu Hause bei Thomas und Annika zum Abendbrot rief.

„Schade", sagte Thomas, „jetzt müssen wir nach Hause. Aber morgen kommen wir wieder, sobald wir aus der Schule zurück sind."

„Ja, tut das", sagte Pippi.

Sie kletterten die Leiter hinauf, erst Pippi, dann Annika und zuletzt Thomas. Und dann kletterten sie vom Baum herunter, zuerst Pippi, dann Annika und zuletzt Thomas.

SECHSTES KAPITEL

Pippi arrangiert einen Ausflug

„Heute brauchen wir nicht in die Schule zu gehen", sagte Thomas zu Pippi, „denn wir haben Scheuerferien."

„Ha", schrie Pippi, „schon wieder eine Ungerechtigkeit! Ich kriege wahrhaftig keine Scheuerferien, obwohl ich sie nötig brauche. Guck bloß, wie der Küchenfußboden aussieht! Aber übrigens", fügte sie hinzu, „wenn ich es mir richtig überlege, dann kann ich auch ohne Scheuerferien scheuern, und das will ich jetzt machen, ob Scheuerferien oder nicht. Ich möchte den sehen, der mich daran hindert. Setzt euch auf den Küchentisch, dann steht ihr nicht im Weg."

Thomas und Annika kletterten gehorsam auf den Tisch, und Herr Nilsson sprang auch hinauf und legte sich auf Annikas Knie schlafen.

Pippi wärmte einen großen Kessel Wasser, das sie dann einfach auf den Küchenfußboden goß. Nun zog sie ihre großen Schuhe aus und legte sie hübsch ordentlich auf den Brotteller. Danach band sie zwei Scheuerbürsten an ihre bloßen Füße und lief über den Fußboden Schlittschuh, so daß es nur so spritzte, wenn sie durchs Wasser pflügte.

„Ich hätte eigentlich Schlittschuhprinzessin werden sollen", sagte sie und hob ein Bein in die Luft hoch, so daß die Scheuerbürste an ihrem linken Fuß ein Stück der Hängelampe kaputtschlug.

„Grazie und Anmut habe ich wenigstens", fuhr sie fort und machte einen kühnen Sprung über einen Stuhl, der ihr im Weg stand.

„So, jetzt ist es wohl sauber", sagte sie schließlich und nahm die Bürsten ab.

„Wischst du den Fußboden nicht trocken?" fragte Annika.

„Nee, den kann die Sonne trocknen", sagte Pippi. „Ich glaube nicht, daß er sich erkältet, wenn er sich nur Bewegung macht."

Thomas und Annika kletterten vom Tisch herunter und gingen, so vorsichtig sie konnten, über den Fußboden, um nicht naß zu werden.

Draußen schien die Sonne von einem knallblauen Himmel. Es war einer dieser strahlenden Septembertage, wo man Lust bekommt, in den Wald zu gehen. Pippi hatte eine Idee.

„Was meint ihr, wollen wir einen kleinen Ausflug machen?"

„O ja", riefen Thomas und Annika begeistert.

„Lauft nach Hause und fragt eure Mama,

dann mach ich inzwischen einen Korb zurecht."

Thomas und Annika fanden, daß das ein guter Vorschlag war. Sie liefen nach Hause, und es dauerte nicht lange, da waren sie wieder zurück. Pippi stand schon vor der Gartentür mit Herrn Nilsson auf der Schulter, einem Wanderstab in der einen Hand und einem großen Korb in der anderen.

Die Kinder gingen erst ein Stück die Landstraße entlang, bogen dann aber in ein Wäldchen ein, durch das sich ein kleiner hübscher Weg zwischen Birken und Haselnußsträuchern schlängelte. Bald kamen sie zu einem Gatter, und dahinter lag ein noch hübscheres Wäldchen. Aber mitten vor dem Gatter stand eine Kuh, und sie sah nicht so aus, als ob sie aus dem Weg gehen wollte. Annika schrie sie an, und Thomas ging mutig hin und versuchte, sie wegzujagen. Aber sie rührte sich nicht vom Fleck, sondern glotzte

die Kinder nur mit ihren großen Kuhaugen
an. Um der Sache ein Ende zu machen,
stellte Pippi ihren Korb auf die Erde, ging
hin und hob die Kuh weg, die verlegen zwischen den Haselnußbüschen davontrabte.

„Daß Kühe so störrisch sein können", sagte
Pippi und sprang mit beiden Füßen zugleich
über das Gatter. „Kein Wunder, wenn die
Stiere wütend werden."
„So ein wunderschönes Wäldchen", rief
Annika begeistert und kletterte auf alle

Steine, die sie sah. Thomas hatte den Dolch mitgenommen, den er von Pippi bekommen hatte, und er schnitt für sich und Annika Wanderstäbe. Er schnitt sich auch ein bißchen in den Daumen, aber das machte nichts.

„Man sollte wirklich Pilze sammeln", sagte Pippi und brach einen dicken braunen Steinpilz ab. „Ich möchte wissen, ob man den essen kann. Jedenfalls kann man ihn nicht trinken, soviel weiß ich, und da hat man eben keine andere Wahl, als ihn zu essen. Vielleicht geht es."

Sie biß ein großes Stück von dem Pilz ab und verschluckte es.

„Es ging!" stellte sie begeistert fest. „Ja, aber das nächste Mal wollen wir ihn wirklich kochen", sagte sie und warf den Pilz hoch in die Luft über die Baumwipfel.

„Was hast du im Korb?" fragte Annika. „Ist es etwas Gutes?"

„Das sage ich nicht für tausend Kronen", versicherte Pippi. „Erst wollen wir einen schönen Platz suchen, wo wir auspacken können."

Die Kinder fingen an, eifrig nach einem solchen Platz zu suchen. Annika entdeckte einen großen flachen Stein, den sie für geeignet hielt, aber da krochen eine Menge Ameisen herum.

„Und bei denen will ich nicht sitzen, denn mit ihnen bin ich nicht bekannt", sagte Pippi.

„Ja, und außerdem beißen sie", sagte Thomas.

„Tun sie das?" fragte Pippi. „Dann beiß wieder."

Da entdeckte Thomas eine kleine Lichtung zwischen ein paar Haselnußbüschen, und er meinte, daß sie sich dort niederlassen sollten.

„Nee du, da ist es nicht sonnig genug, denn

meine Sommersprossen sollen sprießen", sagte Pippi. „Ich finde, Sommersprossen sind schick."

Ein Stück weiter weg war ein kleiner Berg, auf den man leicht und bequem hinaufklettern konnte. Und auf dem Berg war ein kleiner, sonniger Vorsprung, genau wie ein Balkon. Da setzten sie sich hin.

„Jetzt müßt ihr die Augen zumachen, während ich auspacke", sagte Pippi.

Thomas und Annika kniffen die Augen zu, so fest sie konnten, und sie hörten, wie Pippi den Korb aufmachte und mit Papier raschelte.

„Eins, zwei, neunzehn, jetzt könnt ihr gukken", sagte Pippi schließlich.

Und da guckten sie. Sie schrien vor Begeisterung, als sie all die guten Sachen sahen, die Pippi auf dem kahlen Felsen aufgetischt hatte. Da lagen kleine Butterbrote mit Fleischklops und Schinken, ein ganzer Haufen Eierpfannkuchen mit Zucker drauf, einige Würstchen und drei Ananaspudding. Ja, Pippi hatte bei dem Koch auf dem Schiff ihres Vaters kochen gelernt.

„Oh, wie schön sind doch Scheuerferien", sagte Thomas, den Mund voll Eierpfannkuchen. „Die sollte man jeden Tag haben."

„Nee, weißt du, so verrückt nach Scheuern bin ich nicht. Das macht Spaß, sicher. Aber nicht jeden Tag, das würde zu anstrengend werden."

Schließlich waren die Kinder so satt, daß sie sich kaum rühren konnten.

„Ich möchte wissen, ob es schwer ist, zu fliegen", sagte Pippi und sah träumerisch über den Rand des Vorsprungs. Die Bergwand fiel steil unter ihnen ab, und es ging tief hinunter bis zur Erde.

„Nach unten könnte man schon fliegen lernen", fuhr sie fort. „Sicher ist es schwerer, nach oben zu fliegen. Aber man könnte ja mit der leichteren Art anfangen. Ich glaube wirklich, ich versuche es."

„Nein, Pippi!" schrien Thomas und Annika. „Oh, liebe Pippi, tu es nicht!"

Aber Pippi stand schon am Rand des Bergabhanges.

„Flieg, du faule Fliege, flieg, und die faule Fliege flog", sagte sie, und als sie „flog" sagte, hob sie die Arme und machte einen Schritt in die Luft. Nach einer halben Sekunde hörte man einen Plumps. Das war Pippi, die auf die Erde aufschlug. Thomas und Annika lagen auf dem Bauch und sahen erschrocken zu ihr hinunter. Pippi stand auf und wischte sich die Knie ab.

„Ich hab vergessen, mit den Flügeln zu schlagen", sagte sie vergnügt. „Und dann glaub ich, daß ich zuviel Eierpfannkuchen im Bauch hab."

In diesem Augenblick entdeckten die Kinder, daß Herr Nilsson verschwunden war.

Er hatte sich offenbar zu einem eigenen kleinen Ausflug davongemacht. Ihnen fiel ein,
daß er vergnügt dagesessen und den Eßkorb
zerkaut hatte, aber während Pippis Flug-
übungen hatten sie ihn ganz vergessen. Und
jetzt war er fort.

Pippi wurde so wütend, daß sie ihren einen
Schuh in einen großen Wassertümpel warf.
„Man sollte niemals Affen mitnehmen,
wenn man irgendwohin geht", sagte sie. „Er
hätte zu Hause bleiben und das Pferd flöhen
sollen. Recht wäre ihm geschehen", fuhr sie
fort und stieg in den Tümpel, um den Schuh
zu holen. Das Wasser reichte ihr bis zum
Bauch. „Eigentlich sollte man die Gelegen-
heit wahrnehmen und sich auch das Haar
waschen", sagte Pippi und tauchte den Kopf
so lange unter Wasser, bis Blasen kamen.
„Na, da ist der Frisör diesmal davongekom-
men", sagte sie vergnügt, als sie endlich wieder zum Vorschein kam. Sie stieg aus dem

Tümpel und zog ihren Schuh an. Und dann marschierten sie los, um Herrn Nilsson zu suchen.

„Hört bloß, wie es klatscht, wenn ich gehe", lachte Pippi. Das Kleid sagte „klatsch, klatsch", und in den Schuhen sagte es „schwapp, schwapp". „Das ist wirklich lustig. Ich finde, du solltest das auch ausprobieren", sagte Pippi zu Annika, die so fein war mit ihren blonden Seidenlocken, ihrem rosa Kleid und ihren kleinen weißen Lederschuhen.

„Ein andermal", sagte die verständige Annika.

Sie gingen weiter.

„Man kann wirklich böse auf Herrn Nilsson werden", sagte Pippi. „So macht er es immer. Einmal lief er mir in Surabaja weg und nahm eine Stelle als Hausgehilfe bei einer alten Witwe an. – Das letzte war natürlich gelogen", setzte sie nach einer Pause hinzu.

Thomas schlug vor, daß jeder in eine andere Richtung gehen und suchen sollte. Annika war ängstlich und wollte zuerst nicht, aber Thomas sagte: „Du bist doch nicht feige?" Das konnte Annika natürlich nicht auf sich sitzen lassen. Und so gingen alle drei Kinder in verschiedene Richtungen.

Thomas ging über eine Wiese. Herrn Nilsson fand er nicht, aber er sah etwas anderes: einen Stier! Oder richtiger, der Stier sah Thomas, und dem Stier gefiel Thomas nicht, denn es war ein böser und durchaus nicht kinderlieber Stier. Er kam mit gesenktem Kopf und einem unheimlichen Brüllen angestürmt, und Thomas fing vor Schreck an zu schreien, so daß man es im ganzen Wald hörte. Pippi und Annika hörten es auch und kamen angerannt, um zu sehen, was Thomas' Geschrei bedeutete. Da hatte der Stier Thomas bereits auf die Hörner genommen und warf ihn hoch in die Luft.

„Das Tier hat aber auch gar keinen Verstand", sagte Pippi zu Annika, die ganz verzweifelt weinte. „So etwas darf man doch nicht tun! Er macht ja Thomas' weißen Matrosenanzug schmutzig. Ich muß mal ein vernünftiges Wort mit dem dummen Stier reden." Und das tat sie. Sie lief hin und zog ihn am Schwanz.

„Verzeihung, daß ich unterbreche", sagte sie, und da sie kräftig zog, drehte sich der Stier um und sah ein neues Kind, das er auch auf die Hörner nehmen wollte.

„Wie gesagt, Verzeihung, daß ich unterbreche", sagte Pippi wieder. „Und verzeih, daß ich *ab*breche", fügte sie hinzu und brach das eine Horn des Stieres ab. „Dieses Jahr ist es nicht modern, mit zwei Hörnern zu gehen", sagte sie. „Dieses Jahr tragen alle besseren Stiere nur *ein* Horn. Wenn überhaupt eins", sagte sie und brach das andere auch ab.

Da Stiere in den Hörnern kein Gefühl

haben, wußte der Stier nichts davon, daß seine Hörner weg waren. Er stieß frisch drauflos, und wenn es jemand anders als Pippi gewesen wäre, dann wäre das Kind zu Mus geworden. Aber Pippi machte das ja nichts aus.

„Hahaha, hör auf, mich zu kitzeln!" schrie Pippi. „Du ahnst nicht, wie kitzlig ich bin. Haha, hör auf, hör auf, ich lach mich tot!" Aber der Stier hörte nicht auf, und schließlich sprang Pippi auf seinen Rücken, um eine Weile Ruhe zu haben. So besonders ruhig war es aber nicht, denn dem Stier gefiel es durchaus nicht, daß Pippi auf seinem Rükken saß. Er machte wilde Sprünge nach rechts und links, um sie abzuwerfen, aber sie klemmte ihm nur ihre Beine fest in die Seiten und blieb sitzen. Der Stier raste auf der Wiese hin und her und brüllte, und aus seinen Nasenlöchern kam Rauch. Pippi lachte und schrie und winkte Thomas und Annika zu, die ein Stück entfernt dastanden und wie Espenlaub zitterten. Der Stier drehte sich immer rundherum und versuchte, Pippi abzuwerfen.

„Hier tanze ich mit einem kleinen Freund", summte Pippi und blieb sitzen. Schließlich wurde der Stier so müde, daß er sich auf die Erde legte und wünschte, es gäbe keine Kinder auf der Welt. Übrigens hatte er noch nie gefunden, daß Kinder besonders notwendig waren.

„Willst du jetzt deinen Mittagschlaf halten?" fragte Pippi höflich. „Dann will ich nicht stören."

Sie stieg von seinem Rücken herunter und ging zu Thomas und Annika. Thomas hatte ein bißchen geweint. Er hatte eine Wunde am Arm, aber Annika hatte ihr Taschentuch darumgewickelt, und es tat nicht mehr weh.

„O Pippi", rief Annika ganz aufgeregt, als Pippi kam.

„Sch", flüsterte Pippi, „weck den Stier nicht auf! Er schläft, und wenn wir ihn wecken, bekommt er bloß schlechte Laune."

„Herr Nilsson, Herr Nilsson, wo bist du?" schrie sie in der nächsten Minute mit lauter Stimme, ohne sich um den Mittagschlaf des Stiers zu kümmern. „Wir müssen nach Hause gehen!"

Und wirklich, da saß Herr Nilsson oben auf einer Kiefer. Er sog an seinem Schwanz und sah ganz traurig aus. Für so ein kleines Äffchen war es ja nicht besonders vergnüglich, allein im Wald gelassen zu werden. Jetzt sauste er von der Kiefer herunter und auf Pippis Schulter, und er schwenkte seinen Strohhut wie immer, wenn er richtig zufrieden war.

„Na, diesmal bist du nicht Hausgehilfe geworden", sagte Pippi und strich ihm über den Rücken. „Ach richtig, das war ja gelogen", fügte sie hinzu. „Aber wenn es wahr wäre, könnte es ja nicht gelogen sein", setzte sie ihre Überlegungen fort. „Ihr sollt mal sehen, vielleicht ist er doch Hausgehilfe in Surabaja gewesen. Und jetzt weiß ich, wer in Zukunft die Fleischklöße macht."

Dann wanderten sie nach Hause, Pippi immer noch mit klatschendem Kleid und schwappenden Schuhen. Thomas und Annika fanden, daß sie einen wunderbaren Tag gehabt hatten, trotz des Stiers, und sie sangen ein Lied, das sie in der Schule gelernt hatten. Es war eigentlich ein Sommerlied, und jetzt war es ja bald Herbst; aber sie fanden, daß es trotzdem gut paßte.

An dem schönen Sommertag
wandern wir durch Wald und Hag
und singen froh auf allen Wegen
halli und hallo.
Auf, ihr Jungen,
und frisch gesungen,
sitzt nicht zu Hause stumm und dumm.

Kommt auf des Berges höchsten Gipfel,
schaut in des Waldes grüne Wipfel.
An dem schönen Sommertag
singen wir froh in Wald und Hag
halli und hallo.

Pippi sang auch, aber nicht mit dem gleichen
Text, sondern sie sang:

In dem schönen Sonnenschein
gehe ich durch Wald und Hain.
Ich tue das, was mir gefällt,
und wenn ich geh, dann schwappt es,
und wenn ich lauf, dann klappt es.
Und mein Schuh
sagt immerzu:
schwipp und schwapp und schwu.
Das Kleid, das ist naß,
der Stier, der macht Spaß,
und Reisbrei ist mein Leibgericht.
An dem schönen Sommertag
macht es immer schwipp und schwapp.

SIEBENTES KAPITEL

Pippi geht in den Zirkus

In die kleine Stadt war ein Zirkus gekommen, und alle Kinder liefen zu ihren Müttern und Vätern und bettelten darum, hingehen zu dürfen. Das taten auch Thomas und Annika, und ihr Vater holte sofort ein paar Silberkronen hervor und gab sie ihnen.

Das Geld fest in der Hand, liefen sie zu Pippi. Sie war auf der Veranda und war dabei, ihrem Pferd kleine Zöpfe in den Schwanz zu flechten, die sie mit roten Schleifen zuband.

„Es hat heute Geburtstag, glaube ich. Da muß es besonders hübsch aussehen."

„Pippi", sagte Thomas keuchend, denn er war so schnell gelaufen, „Pippi, willst du mit in den Zirkus gehen?"

„Ich kann überall mit hingehen", sagte Pippi, „aber ob ich mit in den Surkus gehen kann, weiß ich nicht, denn ich weiß nicht, was Surkus ist. Tut das weh?"

„Wie dumm du bist", sagte Thomas. „Das tut doch nicht weh! Das ist furchtbar lustig! Da sind Pferde und Clowns und schöne Mädchen, die auf dem Seil balancieren."

„Aber es kostet Geld", sagte Annika und öffnete ihre kleine Hand, um nachzusehen, ob das große blanke Zweikronenstück und die zwei Fünfzigörestücke immer noch darin lagen.

„Ich bin so reich wie ein Zauberer und kann mir jederzeit einen Surkus kaufen", sagte Pippi. „Obwohl es ja eng wird, wenn ich noch mehr Pferde hier hätte. Die Clowns und die schönen Mädchen kann ich schon noch in die Mangelstube reinstopfen, aber das mit den Pferden ist schlimmer."

„Du bist ja dumm", sagte Thomas. „Du

sollst den Zirkus doch nicht kaufen. Es kostet Geld, reinzugehen und zuzusehen, verstehst du?"

„Gott bewahre", schrie Pippi und kniff die Augen zusammen. „Kostet es Geld zuzusehen? Und hier glotze ich alle Tage! Wer weiß, für wieviel Geld ich schon geglotzt habe!"

Langsam öffnete sie vorsichtig das eine Auge und ließ es herumrollen.

„Koste es, was es wolle, aber jetzt muß ich mal gucken!"

Schließlich gelang es Thomas und Annika aber, Pippi zu erklären, was ein Zirkus ist, und dann nahm Pippi einige Goldstücke aus ihrem Koffer. Sie setzte ihren Hut auf, der so groß war wie ein Mühlrad, und sie trabten los zum Zirkus.

Eine Menge Leute drängten sich vor dem Zirkuszelt, und vor der Kasse hatte sich eine lange Schlange gebildet. Aber endlich war

Pippi an der Reihe. Sie streckte ihren Kopf
weit vor, guckte starr die alte nette Dame an,
die da saß, und sagte:
„Wieviel kostet es, dich anzuschauen?"
Aber die alte Dame war Ausländerin und
verstand nicht, was Pippi meinte, sondern
antwortete:
„Kleines Mädchen, es koschded fünf Kronen auf erschden Blatz und drei Kronen auf
zweiden Blatz und eine Krone auf Schdehblatz."
„Ach so", sagte Pippi, „aber dann mußt du
mir versprechen, daß du auf dem Seil balan-
cierst."
Jetzt griff Thomas ein und sagte, daß Pippi
eine Karte für den zweiten Platz haben
wollte. Pippi reichte ein Goldstück hin, und
die alte Dame sah es mißtrauisch an. Sie biß
auch hinein, um zu prüfen, ob es echt war.
Schließlich war sie überzeugt, daß es wirklich aus Gold war, und Pippi bekam ihre

Karte. Außerdem bekam sie eine ganze
Menge Silbergeld zurück.

„Was soll ich mit all dem kleinen häßlichen
weißen Geld?" fragte Pippi mißvergnügt.
„Behalt es ruhig, dann kann ich dich dafür
zweimal sehen. Auf Schdehblatz."

Da Pippi absolut kein Geld zurückhaben
wollte, tauschte die Dame ihre Karte gegen
eine für den ersten Platz um, und sie gab
auch Thomas und Annika Karten für den
ersten Platz, ohne daß sie etwas zu bezahlen
brauchte. Auf diese Weise bekamen Pippi,
Thomas und Annika Plätze auf feinen, roten
Stühlen direkt vor der Manege. Thomas und
Annika drehten sich mehrmals um und
winkten ihren Schulkameraden zu, die weiter hinten saßen.

„Das ist eine komische Bude hier", sagte
Pippi und schaute sich verwundert um.
„Aber wie ich sehe, haben sie Sägespäne auf
dem Fußboden verschüttet. Ich nehm das ja

nicht so genau, aber ich finde, es sieht unordentlich aus."

Thomas erklärte Pippi, daß in allen Zirkussen Sägespäne auf der Erde lägen, damit die Pferde besser darauf laufen könnten.

„Aha", sagte Pippi.

Auf einer Tribüne saß die Musikkapelle des Zirkus, die plötzlich anfing, einen schmetternden Marsch zu spielen. Pippi klatschte wild in die Hände und hüpfte vor Begeisterung auf ihrem Stuhl auf und nieder.

„Kostet es auch etwas, wenn man zuhört, oder kann man das umsonst?" fragte sie.

Gerade da wurde der Vorhang zum Künstlereingang beiseite gezogen, und der Zirkusdirektor im schwarzen Frack und mit der Peitsche in der Hand kam hereingelaufen und mit ihm zehn weiße Pferde mit roten Federbüschen auf den Köpfen.

Der Zirkusdirektor knallte mit der Peitsche, und da stellten sich alle Pferde mit den Vorderbeinen auf die Barriere, die die Manege umgab. Eines der Pferde stand direkt vor den Plätzen der Kinder. Annika gefiel es gar nicht, ein Pferd so dicht vor sich zu haben, und sie kroch auf ihrem Stuhl so weit nach hinten, wie sie konnte. Aber Pippi beugte sich nach vorn, hob das Vorderbein des Pferdes hoch und sagte:

„Servus! Ich soll dich vielmals von *meinem* Pferd grüßen. Es hat heute Geburtstag, aber es hat Schleifen im Schwanz anstatt auf dem Kopf."

Zum Glück ließ Pippi den Fuß des Pferdes los, bevor der Zirkusdirektor das nächste Mal mit der Peitsche knallte, denn da sprangen alle Pferde von der Barriere herunter und fingen wieder an zu laufen.

Als die Nummer zu Ende war, verbeugte sich der Zirkusdirektor höflich, und die Pferde liefen hinaus. Einen Augenblick später öffnete sich der Vorhang wieder für ein kohlschwarzes Pferd, und auf seinem Rükken stand eine schöne Dame in grünem Seidentrikot. Sie hieß Miß Carmencita, wie auf dem Programm stand.

Das Pferd trabte auf den Sägespänen rundherum, und Miß Carmencita stand ganz ruhig da und lachte.

Aber da passierte etwas. Gerade als das Pferd an Pippis Platz vorbeikam, sauste etwas durch die Luft, und das war niemand anders als Pippi selbst. Und da stand sie nun hinter Miß Carmencita auf dem Pferderücken. Zuerst war Miß Carmencita so erstaunt, daß sie beinahe vom Pferd gefallen wäre. Dann wurde sie böse. Sie fing an, mit den Händen nach hinten zu schlagen, damit Pippi abspringen sollte. Aber das nützte nichts.

„Beruhige dich, reg dich ein paar Grade ab", sagte Pippi. „Du glaubst wohl, nur du allein sollst deinen Spaß haben! Unsereiner hat doch auch bezahlt!"

Da wollte Miß Carmencita selbst hinunterspringen, aber auch das gelang nicht, denn Pippi hielt sie mit eisernem Griff um den Bauch fest. Und da konnten alle Leute im Zirkus nicht anders, sie mußten lachen. Sie fanden, es sah komisch aus, wie die schöne Miß Carmencita von einem kleinen rothaarigen Ding festgehalten wurde, das da mit seinen großen Schuhen auf dem Pferderücken stand und so aussah, als ob sie niemals etwas anderes gemacht hätte als im Zirkus auftreten.

Aber der Zirkusdirektor lachte nicht. Er machte seinen rotgekleideten Aufsehern ein Zeichen, das Pferd aufzuhalten.

„Ist die Nummer schon zu Ende?" fragte Pippi enttäuscht. „Gerade jetzt, wo es so lustig war!"

„Du garschdiges Ding!" zischte der Zirkusdirektor zwischen den Zähnen. „Mach, daß du fortkommst!"

Pippi sah ihn betrübt an.

„Was ist denn los?" fragte sie. „Warum bist du böse auf mich? Ich dachte, daß wir Spaß haben sollten."

Sie hüpfte vom Pferd hinunter und setzte sich wieder auf ihren Platz.

Aber jetzt kamen zwei große Aufseher, um sie hinauszuwerfen. Sie faßten sie an und versuchten, sie hochzuheben. Das ging nicht. Pippi saß ganz still, und es war unmöglich, sie vom Fleck zu rücken, obwohl sie zogen, so sehr sie nur konnten. Und da zuckten sie die Schultern und gingen weg.

Inzwischen hatte die nächste Nummer angefangen. Das war Miß Elvira, die auf dem Seil balancieren sollte. Sie hatte ein rosa Tüllröckchen an und einen rosa Schirm in der Hand. Mit einigen zierlichen Schritten sprang sie aufs Seil. Sie schwenkte die Beine und machte alle möglichen Kunststücke.

Das sah reizend aus. Sie zeigte auch, daß sie sogar rückwärts auf dem dünnen Seil gehen konnte. Aber als sie zu der kleinen Plattform am Ende des Seiles zurückkam und sich umdrehte, stand Pippi da.

„Was sagst du jetzt?" fragte Pippi begeistert, als sie Miß Elviras erstaunte Miene sah.

Miß Elvira sagte gar nichts, sondern sprang vom Seil hinunter und warf sich an den Hals des Zirkusdirektors, der ihr Vater war. Und der Zirkusdirektor schickte wieder seine Aufseher los, um Pippi hinauszuwerfen. Diesmal schickte er fünf. Aber da riefen alle Leute im Zirkus: „Laßt sie da! Wir wollen das rothaarige Mädchen sehen!"

Und dann stampften sie mit den Füßen und klatschten in die Hände.

Pippi sprang aufs Seil. Und Miß Elviras Künste waren nichts gegen das, was Pippi konnte. Als sie in der Mitte des Seiles war, streckte sie das eine Bein senkrecht in die

Höhe, und ihr großer Schuh breitete sich wie ein Dach über ihrem Kopf aus. Sie beugte den Fuß etwas, so daß sie sich mit ihm hinter dem Ohr kraulen konnte.

Der Zirkusdirektor war durchaus nicht zufrieden damit, daß Pippi in seinem Zirkus auftrat. Er wollte sie loswerden. Und deswegen schlich er sich hin und machte den Mechanismus los, der das Seil gespannt hielt, und er glaubte sicher, daß Pippi hinunterfallen würde.

Aber das tat Pippi nicht. Sie brachte statt dessen das Seil zum Schaukeln. Das Seil schwang vor und zurück, Pippi schaukelte schneller und schneller, und dann – plötzlich – sprang sie in die Luft und landete direkt auf dem Zirkusdirektor.

Er bekam solche Angst, daß er losrannte.

„Das ist mir ein lustiges Pferd", sagte Pippi. „Aber warum hast du keine Troddeln im Haar?"

Nach einer Weile fand Pippi, daß es Zeit war, zu Thomas und Annika zurückzukehren. Sie sprang vom Zirkusdirektor herunter und setzte sich auf ihren Platz, und nun sollte die nächste Nummer anfangen. Das dauerte eine Weile, denn der Zirkusdirekor mußte erst hinausgehen und ein Glas Wasser trinken und sich kämmen. Aber dann kam er herein, verbeugte sich vor dem Publikum und sagte:

„Meine Damen und Herren! Jetzt wärden Sie sähen das greeßte Wunder aller Zeiten, den schdärksden Mann der Welt, den schdarken Adolf, den bis jetzt noch keiner besiegt hat. Bitte sähr, meine Damen und Herren, jetzt kommt der schdarke Adolf."

Und in die Manege trat ein riesengroßer Kerl. Er hatte ein fleischfarbenes Trikot an und ein Leopardenfell um den Bauch. Er verbeugte sich vor dem Publikum und sah sehr zufrieden aus.

„Sehn Sie, was für Moschkeln", sagte der Zirkusdirektor und drückte den Arm des starken Adolf, wo die Muskeln wie Kugeln unter der Haut anschwollen.

„Und jetzt, meine Damen und Herren, komme ich mit einem feinen Angebohd: Wer von Ihnen wagt, einen Ringkampf mit dem schdarken Adolf aufzunehmen, wer wagt zu versuchen, den schdärksden Mann der Welt zu besiegen? Hundert Kronen wär-den ausgezahlt an den, der den schdarken Adolf besiegt. Hundert Kronen, bedänken Sie, meine Damen und Herren. Bitte sähr! Wer tritt vor?"

Niemand trat vor.

„Was hat er gesagt?" fragte Pippi. „Und warum spricht er arabisch?"

„Er hat gesagt, daß der, der den großen Mann da verhauen kann, hundert Kronen bekommt", sagte Thomas.

„Das kann ich", sagte Pippi. „Aber ich

finde, es ist schade, ihn zu verhauen, er sieht so nett aus."

„Nee du, das kannst du wohl doch nicht", sagte Annika, „das ist ja der stärkste Mann der Welt!"

„*Mann*, ja", sagte Pippi. „Aber ich bin das stärkste *Mädchen* der Welt, mußt du bedenken!"

Inzwischen war der starke Adolf damit beschäftigt, große Eisenkugeln hochzuheben und dicke Eisenstangen in der Mitte zu biegen, um zu zeigen, wie stark er war.

„Na, meine Härrschafden", schrie der Zirkusdirektor, „wenn wirklich niemand hier ist, der hundert Kronen verdienen will, wärde ich gäzwungen sein, sie für mich zu bähalden!" Und er wedelte mit dem Hundertkronenschein.

„Nein, das meine ich wirklich nicht", sagte Pippi und kletterte über die Barriere in die Manege.

Der Zirkusdirektor war ganz außer sich, als er sie sah.

„Geh! Värschwind! Ich will dich nicht sehen", fauchte er.

„Warum bist du immer so unfreundlich", sagte Pippi vorwurfsvoll. „Ich will ja bloß mit dem starken Adolf kämpfen."

„Das ist hier kein Platz fier Schbäße", sagte der Zirkusdirektor. „Geh wäck, bevor der schdarke Adolf deine Unverschämdheiten hört."

Aber Pippi ging am Zirkusdirektor vorbei und direkt zum starken Adolf. Sie packte seine große Hand und schüttelte sie herzlich.

„Na, wollen wir beide mal ringen, du und ich?"

Der starke Adolf sah sie an und begriff nichts.

„In einer Minute fang ich an", sagte Pippi.

Und das tat sie. Sie fing einen ordentlichen Ringkampf mit dem starken Adolf an, und bevor jemand wußte, wie es zugegangen war, hatte sie ihn auf die Matte gelegt. Der starke Adolf sprang hoch, ganz rot im Gesicht.

„Heja, Pippi!" schrien Thomas und Annika. Das hörten alle Leute im Zirkus, und da schrien sie auch: „Heja, Pippi!"

Der Zirkusdirektor saß auf der Barriere und rang die Hände. Er war wütend.

Aber der starke Adolf war noch wütender. In seinem ganzen Leben war ihm so etwas Furchtbares noch nicht passiert. Und jetzt wollte er diesem rothaarigen Mädchen wahrhaftig zeigen, was der starke Adolf eigentlich für ein Kerl war. Er stürzte sich auf sie und packte sie.

Aber Pippi stand wie ein Felsen.

„Du kannst es besser", sagte sie, um ihn anzufeuern. Aber dann wand sie sich aus seinem Griff los, und im nächsten Augenblick lag der starke Adolf wieder auf der

Matte. Pippi stand daneben und wartete. Sie brauchte nicht lange zu warten. Mit Gebrüll erhob er sich und stürmte wieder gegen sie los.

„Dideldibum und dideldidei", sagte Pippi. Alle Leute im Zirkus stampften mit den Füßen und warfen ihre Mützen in die Luft und schrien: „Heja, Pippi!"
Als der starke Adolf zum drittenmal ange- stürmt kam, hob ihn Pippi hoch und trug ihn

mit ausgestreckten Armen rund um die Manege herum. Dann legte sie ihn wieder auf die Matte und hielt ihn da fest.

„Na, Alterchen, ich glaube, wir hören auf", sagte sie. „Noch lustiger als bis jetzt wird es jedenfalls nicht mehr."

„Pippi hat gesiegt, Pippi ist Sieger!" schrien alle Leute im Zirkus. Der starke Adolf machte sich, so schnell er konnte, davon. Und der Zirkusdirektor mußte zu Pippi gehen und ihr den Hundertkronenschein geben, obwohl er aussah, als ob er sie lieber gefressen hätte.

„Bitte sähr, mein Frailein, bitte sähr, hundert Kronen!"

„Den da?" sagte Pippi verächtlich. „Was soll ich mit diesem Papierlappen? Den kannst du behalten und Heringe darin einwickeln, wenn du willst."

Dann ging sie auf ihren Platz zurück.

„Das hat lange gedauert, dieser Surkus",

sagte sie zu Thomas und Annika. „Ein kleines Schläfchen kann niemals schaden. Aber weckt mich, wenn noch etwas kommt, wo ich helfen soll."

Und dann lehnte sie sich im Stuhl zurück und schlief sofort ein. Und da lag sie und schnarchte, während die Clowns und Schwertschlucker und Schlangenmenschen Thomas und Annika und allen anderen Leuten im Zirkus ihre Kunststücke zeigten.

„Aber ich finde jedenfalls, daß Pippi am besten war", flüsterte Thomas Annika zu.

ACHTES KAPITEL

Pippi wird von Dieben besucht

Nach Pippis Auftritt im Zirkus gab es keinen Menschen in der kleinen Stadt, der nicht wußte, wie furchtbar stark sie war. Sogar in der Zeitung stand etwas über sie.

Aber Leute, die woanders wohnten, wußten natürlich nicht, wer Pippi war.

An einem dunklen Herbstabend kamen zwei Landstreicher an der Villa Kunterbunt vorbei. Die Landstreicher waren zwei unheimliche Diebe, die sich auf die Wanderschaft durch das Land gemacht hatten, um zu sehen, ob sie etwas zum Klauen fanden. Sie sahen Licht in den Fenstern der Villa Kunterbunt, und sie beschlossen, hineinzugehen und um ein Butterbrot zu bitten.

Pippi hatte an diesem Abend alle ihre Goldstücke auf den Küchenfußboden ausgekippt und saß da und zählte sie. Sie konnte zwar nicht besonders gut rechnen, aber manchmal tat sie es doch. Der Ordnung wegen.

„... 75, 76, 77, 78, 79, 10 und 70 und 70, 12 und 70, 13 und 70, 17 und 70 – puh, mir bleibt die 70 im Halse stecken. Es gibt doch wohl schließlich auch noch andere Zahlen bei der Zählerei, ja natürlich, jetzt fällt es mir ein – 104, 1000, das ist verflixt viel Geld", sagte Pippi.

Gerade da klopfte es an der Tür.

„Kommt herein oder bleibt draußen, wie ihr wollt", rief Pippi. „Ich zwinge niemanden."

Die Tür ging auf, und die beiden Landstreicher kamen herein. Es ist nicht schwer zu raten, ob sie große Augen machten, als sie ein kleines rothaariges Mädchen ganz allein auf dem Fußboden sitzen und Geld zählen sahen.

„Bist du allein zu Hause?" fragten sie listig.

„Durchaus nicht", sagte Pippi. „Herr Nilsson ist auch zu Hause."

Die Diebe konnten ja nicht wissen, daß Herr
Nilsson ein kleiner Affe war, der gerade in
seinem grünbemalten Bett lag und, mit einer
Puppendecke zugedeckt, schlief. Sie glaubten, daß es der Hausherr war, der Nilsson
hieß, und sie blinzelten sich vielsagend zu.

Wir können etwas später zurückkommen,
meinten sie mit dem Blinzeln, aber zu Pippi
sagten sie:

„Ja, wir kamen bloß rein, um zu fragen, was
die Uhr ist."

Sie waren so aufgeregt, daß sie nicht mehr an
Butterbrote dachten.

„Solche großen, starken Kerle wie ihr wißt
nicht, was die Uhr ist!" sagte Pippi. „Was
habt ihr eigentlich für eine Erziehung
bekommen? Die Uhr ist ein kleines, rundes
Ding, das tick-tack sagt und das geht und
geht und niemals bis zur Tür kommt. Wenn

ihr mehr Rätsel wißt, dann nur raus damit", sagte Pippi ermunternd.

Die Landstreicher glaubten, daß Pippi zu klein war, um die Uhr zu kennen, sie drehten sich ohne ein Wort um und gingen wieder hinaus.

„Ich verlange nicht, daß ihr besonders höflich seid, aber ihr könntet wenigstens ,danke' sagen!" schrie Pippi ihnen nach. „Aber trotzdem, ziehet hin in Frieden!" Und sie ging wieder zu ihrem Geld zurück.

Glücklich wieder draußen, rieben die Landstreicher sich vergnügt die Hände.

„Hast du das viele Geld gesehen? Du lieber Himmel!" sagte der eine.

„Ja, manchmal hat man Glück", sagte der andere. „Das einzige, was wir zu tun haben, ist zu warten, bis das Mädchen und dieser Herr Nilsson schlafen. Dann schleichen wir uns rein und sacken alles ein."

Sie setzten sich unter eine Eiche im Garten

und warteten. Es regnete, und sie waren sehr hungrig. Es war also eigentlich sehr ungemütlich, aber der Gedanke an das viele Geld hielt sie bei guter Laune.

In allen anderen Villen gingen nach und nach die Lichter aus, aber aus der Villa Kunterbunt fiel noch Licht. Pippi war nämlich dabei, Schottisch tanzen zu lernen, und sie wollte nicht eher zu Bett gehen, bevor sie nicht sicher war, daß sie es wirklich konnte. Schließlich wurde es auch in der Villa Kunterbunt dunkel.

Die Landstreicher warteten noch eine Weile, um sicher zu sein, daß Herr Nilsson eingeschlafen war. Aber dann schlichen sie zum Kücheneingang und machten sich bereit, die Tür mit ihren Einbruchswerkzeugen zu öffnen. Der eine von ihnen – er hieß übrigens Blom – faßte aber ganz zufällig die Klinke an: Die Tür war nicht verschlossen.

„Man sollte glauben, die Leute haben keinen

Verstand", flüsterte er seinem Kumpel zu. „Die Tür ist ja offen!"

„Um so besser für uns", antwortete sein Kumpel, ein schwarzhaariger Kerl, der von Leuten, die ihn kannten, Donner-Karlsson genannt wurde.

Donner-Karlsson knipste seine Taschenlampe an, und sie schlichen sich in die Küche. Dort war niemand. Im Zimmer nebenan stand Pippis Bett, und da stand auch Herrn Nilssons Puppenbett.

Donner-Karlsson öffnete die Tür und schaute vorsichtig hinein. Es war ruhig und still, und er leuchtete mit seiner Taschenlampe. Als der Lichtstrahl Pippis Bett traf, sahen die beiden Landstreicher zu ihrem Erstaunen nichts anderes als ein Paar Füße, die auf dem Kopfkissen lagen. Pippi hatte wie gewöhnlich den Kopf unter der Decke am Fußende des Bettes.

Sie schlichen hinein.

„Das muß das Mädchen sein", flüsterte Donner-Karlsson Blom zu. „Und sie schläft sicher fest. Aber wo mag Nilsson sein?"

„Herr Nilsson, wenn ich bitten darf", hörte man Pippis ruhige Stimme unter der Decke. „Herr Nilsson liegt in dem kleinen grünen Puppenbett."

Die Landstreicher erschraken so, daß sie nahe daran waren, sofort wieder hinauszulaufen. Aber dann fiel ihnen ein, was Pippi gesagt hatte – daß Herr Nilsson im Puppen-

bett lag. Im Schein der Taschenlampe sahen sie auch das Puppenbett und den kleinen Affen, der darin lag. Donner-Karlsson konnte nicht anders, er mußte lachen.

„Blom", sagte er, „Herr Nilsson ist ein kleiner Affe!! Hahaha!"

„Ja, was hast du denn sonst gedacht?" hörte man Pippis ruhige Stimme unter der Decke. „Ein Rasenmäher?"

„Sind dein Papa und deine Mama nicht zu Hause?" fragte Blom.

„Nee", sagte Pippi. „Die sind weg. Ganz und gar weg."

Donner-Karlsson und Blom waren so begeistert, daß sie glucksten.

„Hör mal, kleines Mädchen", sagte Donner-Karlsson, „komm mal her, wir möchten mit dir reden."

„Nee, ich schlafe", sagte Pippi. „Handelt es sich wieder um Rätsel? Dann könnt ihr erst mal das raten: Was ist das für eine Uhr, die geht und geht und niemals bis zur Tür kommt?"

Aber jetzt nahm Blom entschlossen die Decke von Pippis Bett weg.

„Kannst du Schottisch tanzen?" fragte Pippi und sah ihm ernst in die Augen. „Ich kann!"

„Du fragst so viel", sagte Donner-Karlsson. „Können wir nicht auch ein bißchen fragen? Wo hast du zum Beispiel das Geld, das da vorhin auf dem Fußboden lag?"

„Im Koffer auf dem Schrank dort", antwortete Pippi wahrheitsgetreu. Donner-Karlsson und Blom grinsten.

„Ich hoffe, du hast nichts dagegen, daß wir es nehmen", sagte Donner-Karlsson.

„Ja, bitte sehr", sagte Pippi. „Natürlich nicht."

Worauf Blom hinging und den Koffer vom Schrank nahm.

„Ich hoffe, du hast nichts dagegen, daß ich es zurücknehme, Freundchen", sagte Pippi, stieg aus dem Bett, machte Licht und ging zu Blom.

Blom wußte nicht genau, wie es zuging, aber der Koffer befand sich eins, zwei, drei wieder in Pippis Hand.

„Keine Scherze", sagte Donner-Karlsson wütend. „Her mit dem Koffer!"

Er faßte Pippi hart am Arm und versuchte, die ersehnte Beute an sich zu reißen.

„Scherze hin und Scherze her", sagte Pippi und hob Donner-Karlsson auf den Schrank. Eine Minute später saß Blom auch oben.

Da bekamen die beiden Landstreicher Angst. Sie fingen an zu begreifen, daß Pippi kein gewöhnliches Mädchen war. Aber der Koffer lockte sie, und sie vergaßen ihre Angst.

„Eins, zwei, drei, los!" schrie Donner-Karlsson, und sie sprangen vom Schrank herunter und stürzten sich auf Pippi, die den Koffer in der Hand hielt. Aber Pippi tippte sie mit dem Zeigefinger an, so daß sich jeder in eine Ecke setzte. Bevor sie dazu kamen aufzustehen, hatte Pippi einen Strick geholt, und schnell wie der Blitz band sie den beiden Dieben Arme und Beine zusammen.

Jetzt pfiff der Wind plötzlich aus einer anderen Richtung.

„Liebes, gutes Fräulein", bat Donner-Karlsson, „verzeihen Sie uns, wir haben ja bloß Spaß gemacht. Tun Sie uns nichts Böses! Wir sind ja nur zwei arme Landstreicher, die reingekommen sind, um etwas zu essen zu erbitten."

Blom vergoß sogar ein paar Tränen.

Pippi stellt den Koffer wieder ordentlich auf den Schrank. Dann wandte sie sich an ihre Gefangenen.

„Kann einer von euch Schottisch tanzen?"

„Tja", sagte Donner-Karlsson, „ich denke, das können wir beide."

„Oh, prima", sagte Pippi und klatschte in

die Hände. „Können wir nicht ein bißchen tanzen? Ich habe es mir eben beigebracht, müßt ihr wissen."

„Ja, bitte sehr", sagte Donner-Karlsson etwas verwirrt.

Da nahm Pippi eine große Schere und schnitt den Strick durch, mit dem sie ihre Gäste gefesselt hatte.

„Aber wir haben ja keine Musik", sagte Pippi besorgt. Doch sie hatte eine Idee.

„Kannst du nicht auf dem Kamm blasen?" fragte sie Blom. „Dann tanze ich mit dem da." Sie zeigte auf Donner-Karlsson.

Ja, natürlich konnte Blom auf dem Kamm blasen. Und das tat er, so daß man es im ganzen Haus hörte. Herr Nilsson setzte sich verschlafen im Bett auf und sah Pippi gerade mit Donner-Karlsson herumschwenken. Sie war todernst, und sie tanzte mit einer Energie, als ob es das Leben gälte.

Schließlich wollte Blom nicht mehr weiter

auf dem Kamm blasen, denn er behauptete, daß es so furchtbar am Mund kitzle. Und Donner-Karlsson bekam müde Beine, weil er schon den ganzen Tag auf der Landstraße herumgelaufen war.

„O meine Lieben, nur noch eine *kleine* Weile", bettelte Pippi und tanzte weiter. Und Blom und Donner-Karlsson blieb nichts anderes übrig, als weiterzumachen.

Als es drei Uhr nachts war, sagte Pippi:

„Von mir aus könnte es so weitergehen bis Donnerstag. Aber ihr seid vielleicht müde und hungrig?"

Das stimmte genau, obwohl sie es kaum zu sagen wagten. Aber Pippi holte Brot und Käse und Butter und Schinken und kalten Braten und Milch aus der Speisekammer, und dann setzten sie sich an den Küchentisch, Blom, Donner-Karlsson und Pippi, und sie aßen, bis sie beinahe viereckig waren. Pippi goß etwas Milch in ihr eines Ohr.

„Das ist gut gegen Ohrenreißen", sagte sie.

„Du Ärmste, hast du Ohrenreißen?" fragte Blom.

„Nee", sagte Pippi, „aber ich krieg es vielleicht."

Schließlich standen die beiden Landstreicher auf, bedankten sich sehr für das Essen und baten, sich verabschieden zu dürfen.

„War das lustig, daß ihr gekommen seid! Müßt ihr wirklich schon gehen?" sagte Pippi bedauernd. „Niemals habe ich jemand gesehen, der so gut Schottisch tanzen kann wie du, mein Zuckerschweinchen", sagte sie zu Donner-Karlsson.

Und zu Blom sagte sie: „Übe nur fleißig auf dem Kamm zu blasen, dann fühlst du nicht mehr, daß es kitzelt."

Als sie schon an der Tür waren, kam Pippi angestürzt und gab jedem ein Goldstück.

„Das habt ihr ehrlich verdient", sagte sie.

NEUNTES KAPITEL

Pippi geht
zum Kaffeekränzchen

Thomas' und Annikas Mutter hatte einige Damen zum Kaffeekränzchen eingeladen, und da sie reichlich gebacken hatte, meinte sie, Thomas und Annika könnten auch Pippi einladen. Sie glaubte, auf diese Weise hätte sie am wenigsten Mühe mit ihren eigenen Kindern.

Thomas und Annika freuten sich, als sie das hörten, und sie liefen sofort zu Pippi rüber, um sie einzuladen. Pippi war im Garten und goß die wenigen Blumen, die noch übrig waren, mit einer alten rostigen Gießkanne. Da es gerade an diesem Tag in Strömen regnete, sagte Thomas zu Pippi, das wäre doch wohl ganz unnötig.

„Ja, du hast gut reden", sagte Pippi verdrießlich. „Aber wenn ich die ganze Nacht wachgelegen und mich darauf gefreut habe, aufzustehen und die Blumen zu gießen, dann laß ich mich durch das bißchen Regen nicht daran hindern. Merk dir das!"

Jetzt rückte Annika mit der wunderbaren Neuigkeit vom Kaffeekränzchen heraus.

„Kaffeekränzchen – ich?" rief Pippi und wurde so nervös, daß sie anfing, Thomas zu begießen statt des Rosenstrauches, der eigentlich gemeint war. „Oh, wie soll das werden! Hu, wie nervös ich bin! Stellt euch bloß vor, wenn ich mich nun nicht benehmen kann!"

„Aber das kannst du bestimmt", sagte Annika.

„Sei nicht so sicher", sagte Pippi. „Ich versuche es, das darfst du mir glauben, aber ich hab schon viele Male gemerkt, daß die Leute finden, ich könne mich nicht benehmen, obwohl ich es immer wieder versucht und mich so gut benommen hab, wie ich nur konnte. Auf dem Meer haben wir das nicht so genau genommen. Aber ich verspreche euch, daß ich mich heute ordentlich ins Zeug lege, so daß ihr euch nicht für mich zu schämen braucht."

„Prima", sagte Thomas, und dann rannten er und Annika im Regen wieder nach Hause.

„Heut nachmittag um drei, vergiß es nicht!" rief Annika und guckte unter dem Regenschirm hervor.

Nachmittags um drei stieg ein sehr feines Fräulein die Treppe zu Familie Settergrens Villa hinauf. Das war Pippi Langstrumpf. Das rote Haar trug sie wegen des besonderen Anlasses offen, und es lag wie eine Löwenmähne um ihre Schultern. Ihren Mund hatte sie mit einem Rotstift knallrot gemalt, und die Augenbrauen hatte sie sich mit Ruß geschwärzt, so daß sie beinahe gefährlich aussah. Auch ihre Fingernägel hatte sie mit Rotstift bemalt, und auf ihren Schuhen hatte sie große grüne Schleifen befestigt.

„Ich glaube, ich werde am feinsten von der ganzen Gesellschaft sein", murmelte sie zufrieden vor sich hin, als sie an der Tür klingelte.

Im Wohnzimmer der Familie Settergren saßen drei vornehme Damen und Thomas und Annika und ihre Mutter. Es war ein herrlicher Kaffeetisch gedeckt, und im Kamin brannte ein Feuer. Die Damen plauderten ruhig und leise miteinander, und Thomas und Annika saßen auf dem Sofa und blätterten in einem Album. Alles war so friedlich. Aber plötzlich wurde der Friede gestört.

„Gebt *acht!*"

Ein durchdringender Ruf kam aus der Diele, und im nächsten Augenblick stand Pippi Langstrumpf auf der Schwelle. Sie hatte so laut und so unerwartet geschrien, daß die Damen in die Höhe fuhren.

„Abteilung vorwärts *marsch*!" ertönte der nächste Ruf, und Pippi ging mit taktfesten Schritten auf Frau Settergren zu.

„Abteilung *halt*!" Pippi blieb stehen. „Arme vorwärts – *streckt*!" schrie sie und ergriff mit beiden Händen Frau Settergrens eine Hand und schüttelte sie herzlich.

„Knie – *beugt*!" schrie Pippi und machte einen schönen Knicks. Dann lächelte sie Frau Settergren an und sagte mit ihrer gewöhnlichen Stimme:

„Ich bin nämlich sehr schüchtern, und wenn ich mich nicht selber kommandiere, dann würde ich in der Diele stehenbleiben und nicht wagen hereinzukommen."

Dann lief sie zu den anderen Damen und küßte sie auf die Wangen.

„Scharmang, scharmang, auf Ehre", sagte sie, denn das hatte sie einmal einen vornehmen Herrn zu einer Dame sagen hören. Und dann setzte sie sich auf den besten Stuhl, den sie entdecken konnte.

Frau Settergren hatte gedacht, daß die Kinder sich oben in Thomas' und Annikas Zimmer aufhalten sollten, aber Pippi blieb ruhig sitzen, schlug sich auf die Knie und sagte mit einem Blick auf den Kaffeetisch: „Das sieht ja wirklich gut aus! Wann fangen wir an?"

In diesem Augenblick kam Ella, die Hausangestellte der Familie, mit der Kaffeekanne, und Frau Settergren sagte: „Bitte sehr!"

„Erster!" schrie Pippi und war in zwei Sätzen am Tisch. Sie häufte so viele Kuchenstücke, wie sie nur erwischen konnte, auf einen Teller, warf fünf Zuckerstücke in eine Kaffeetasse, leerte die halbe Sahnekanne in die Tasse und zog sich dann mit ihrem Raub auf ihren Stuhl zurück, noch bevor die Damen sich an den Tisch hatten setzen können.

Pippi streckte die Beine aus und stellte den Kuchenteller zwischen ihre Zehenspitzen. Sie stopfte sich den Mund so voll mit Kuchen, daß sie kein Wort hervorbringen konnte, sosehr sie es auch versuchte. Im Nu

hatte sie den Kuchen von ihrem Teller verputzt. Sie stand auf, schlug auf den Teller wie auf ein Tamburin und ging zum Tisch, um zu sehen, ob noch Kuchen übrig war. Die Damen sahen sie mißbilligend an, aber sie merkte es nicht. Munter plaudernd ging sie um den Tisch herum und nahm da ein Stück Kuchen und dort eins.

„Das war wirklich nett, mich einzuladen", sagte sie. „Ich bin noch nie bei einem Kaffeekränzchen gewesen."

Auf dem Tisch stand eine große Sahnetorte. In deren Mitte lag zur Zierde eine rote Rose aus Marzipan. Pippi stand mit den Händen auf dem Rücken und beguckte sie. Plötzlich beugte sie sich hinunter und schlug ihre Zähne in die Marzipanrose. Aber sie war etwas zu schnell eingetaucht, und als sie wieder hochkam, war ihr Gesicht ganz mit Sahne zugemauert.

„Hahaha", lachte Pippi, „jetzt können wir Blindekuh spielen. Hier haben wir die blinde Kuh gratis. Ich kann nicht das kleinste bißchen sehen!"

Sie streckte die Zunge heraus und leckte die ganze Sahne ab.

„Das war ja ein schreckliches Unglück", sagte sie. „Aber die Torte ist doch hin; dann kann ich sie ebensogut ganz aufessen."

Und das tat sie. Sie ging mit dem Tortenheber auf die Torte los, die in kurzer Zeit verschwunden war.

Pippi klopfte sich zufrieden auf den Bauch. Frau Settergren war gerade draußen in der Küche und wußte nichts von dem Unglück mit der Torte. Aber die anderen Damen sahen Pippi sehr streng an. Sie hätten wahrscheinlich auch gern etwas von der Torte gehabt. Pippi merkte, daß sie sehr mißvergnügt aussahen, und sie beschloß, sie etwas aufzumuntern.

„Nun müßt ihr aber wegen so eines kleinen Unglücks nicht traurig sein", sagte sie tröstend. „Hauptsache, man ist gesund. Und beim Kaffeekränzchen soll man sich amüsieren."

Sie nahm den Zuckerstreuer vom Tisch und

ließ eine ganze Menge Zucker auf den Fußboden rieseln.

„Denkt daran: das hier ist Streuzucker",
sagte sie. „Ich bin also in vollem Recht.
Wozu hat man denn Streuzucker, wenn man
ihn nicht *streuen* soll? Das möchte ich gern
wissen."

„Habt ihr schon mal gemerkt, wie ulkig es
ist, auf einem Fußboden zu gehen, auf dem
Streuzucker liegt?" fragte sie die Damen.

„Noch lustiger ist es natürlich, wenn man
barfuß geht", fuhr Pippi fort und riß sich
Strümpfe und Schuhe von den Füßen. „Ich
glaube, ihr solltet es auch versuchen, denn
was Lustigeres kann man sich nicht vorstellen, das könnt ihr mir glauben."

Aber jetzt kam Frau Settergren herein, und
als sie den verschütteten Zucker sah, faßte sie
Pippi hart am Arm und führte sie zum Sofa
zu Thomas und Annika. Dann ging sie zu
den Damen und bot ihnen mehr Kaffee an.

Daß die Torte verschwunden war, freute sie nur, sie glaubte, sie hätte ihren Gästen so gut geschmeckt, daß sie alles aufgegessen hatten. Pippi, Thomas und Annika redeten ruhig miteinander auf dem Sofa. Das Feuer prasselte im Kamin. Die Damen tranken eine zweite Tasse Kaffee, und alles war wieder ruhig und friedlich. Und wie es bei Kaffeekränzchen manchmal so ist, fingen die Damen an, von ihren Hausangestellten zu reden. Es waren wohl keine besonders guten Hausangestellten, die sie bekommen hatten, denn sie waren gar nicht zufrieden mit ihnen, und sie waren sich darüber einig, daß man eigentlich keine Hausangestellten haben sollte. Es wäre viel besser, alles selbst zu machen, dann wüßte man wenigstens, daß es ordentlich gemacht würde.

Pippi saß auf dem Sofa und hörte zu, und nachdem die Damen eine Weile geredet hatten, sagte sie:

„Meine Großmutter hatte einmal ein Mädchen, das Malin hieß. Sie hatte Frostbeulen an den Füßen, aber sonst hatte sie keine Fehler. Das einzige Dumme war, daß sie, sobald Gäste kamen, hinlief und sie ins Bein biß. Und dann bellte sie. Oh, wie sie bellte! Man konnte es im ganzen Viertel hören. Aber das tat sie nur, weil sie spielen wollte. Obwohl es die Gäste nicht immer verstanden. Einmal kam eine alte Pastorenfrau zu Großmutter, gerade als Malin eben ihre Stelle angetreten hatte, und als sie angelaufen kam und die Frau Pastor ins Bein biß, stieß die Frau Pastor einen so furchtbaren Schrei aus, daß Malin noch fester zubiß. Und dann kam sie nicht wieder los. An dem Tag mußte Großmutter die Kartoffeln selbst schälen. Aber so ist es endlich mal ordentlich gemacht worden. Sie schälte so gut, daß überhaupt keine Kartoffeln mehr da waren, als sie fertig war. Nur Schalen! Aber die Frau Pastor kam niemals wieder zur Großmutter. Sie hatte keinen Sinn für Spaß. Dabei war Malin so spaßig und lustig! Aber sie konnte manchmal auch sehr empfindlich sein, das kann man nicht bestreiten. Als Großmutter ihr einmal mit der Gabel ins Ohr gestochen hatte, hat sie einen ganzen Tag lang gemault."

Pippi schaute in die Runde und lachte freundlich.

„Ja, das war Malin, jawohl." Und sie drehte die Daumen.

Die Damen sahen aus, als ob sie nichts gehört hätten. Sie setzten ihre Unterhaltung fort.

„Wenn meine Rosa wenigstens sauber wäre", sagte Frau Berggren, „dann würde ich sie vielleicht behalten. Aber sie ist ein richtiges Ferkel."

„Da hätten Sie Malin sehen sollen", fiel Pippi ein. „Malin war so dreckig, daß es eine richtige Freude war, sagte Großmutter. Lange

Zeit hat Großmutter geglaubt, daß sie eine Negerin wäre, weil sie so eine dunkle Haut hatte, aber das war wahrhaftig nur der allerwaschechteste Dreck. Und einmal, bei einem Fest im Stadthotel, bekam sie den ersten Preis für ihre Trauerränder an den Fingernägeln. Ja, Jammer und Elend, was war das Mensch dreckig!" sagte Pippi vergnügt.

Frau Settergren warf ihr einen strengen Blick zu.

„Können Sie sich vorstellen", sagte Frau Granberg, „kürzlich, eines Abends, als meine Brigitte Ausgang hatte, zog sie ohne weiteres mein blaues Seidenkleid an. Ist das nicht die Höhe?"

„Ja, wahrhaftig", sagte Pippi. „Sie scheint, wie ich höre, vom gleichen Schrot und Korn zu sein wie Malin. Großmutter hatte ein rosa Unterhemd, das sie furchtbar gern hatte. Aber das schlimme war, daß es Malin auch

gefiel. Und jeden Morgen stritten sich Großmutter und Malin, wer das Unterhemd an-
ziehen sollte. Schließlich haben sie sich dahin geeinigt, daß sie es abwechselnd tragen
sollten, damit es gerecht zuginge. Aber was
denken sie, wie querköpfig Malin sein konnte! Manchmal kam sie angelaufen, wenn sie
gar nicht an der Reihe war, und sagte: ‚Heute gibt's kein Rübenmus, wenn ich nicht das
rosa Wollhemd kriege!' Tja, was sollte
Großmutter machen? Rübenmus war ihr
Leibgericht. Es blieb ihr nichts anderes übrig, als Malin das Hemd zu geben. Und
wenn Malin es glücklich bekommen hatte,
ging sie brav und nett in die Küche und
rührte Rübenmus, so daß es an die Wand
spritzte."

Es war eine Weile still. Aber dann sagte Frau
Alexandersson:

„Ich bin ja nicht ganz sicher, aber ich vermu-
te stark, daß meine Hulda stiehlt. Ich habe

tatsächlich gemerkt, daß einige Sachen weg-
gekommen sind."

„Malin..." fing Pippi an, aber da sagte Frau
Settergren:

„Die Kinder gehen ins Kinderzimmer hinauf
– sofort!"

„Ja, aber ich wollte nur erzählen, daß Malin
auch gestohlen hat", sagte Pippi. „Wie ein
Rabe! Alles, was nicht niet- und nagelfest
war. Mitten in der Nacht stand sie gewöhnlich auf, um ein bißchen zu stehlen, sonst
konnte sie nicht ruhig schlafen, sagte sie.
Einmal klaute sie Großmutters Klavier und
schleppte es runter und stopfte es in ihr ober-
stes Kommodenfach. Sie war sehr fingerfer-
tig, sagte Großmutter."

Jetzt nahmen Thomas und Annika Pippi am
Arm und zogen sie die Treppe hinauf. Die
Damen tranken ihre dritte Tasse Kaffee, und
Frau Settergren sagte:

„Ich will ja nicht gerade über meine Ella

klagen, aber viel Porzellan schlägt sie kaputt, ja, das muß ich sagen."

Ein roter Kopf erschien plötzlich oben auf der Treppe.

„Um auf Malin zurückzukommen", sagte Pippi, „was die für Porzellan kaputtgeschlagen hat! An einem ganz bestimmten Wochentag tat sie es. Immer dienstags, hat Großmutter gesagt. Schon um fünf Uhr am Dienstagmorgen konnte man das prächtige Mädchen in der Küche Porzellan zerschlagen hören. Sie begann mit den Kaffeetassen und Gläsern und mit anderen leichten Sachen, fuhr fort mit den tiefen Tellern und dann mit den flachen, und sie hörte mit den Bratenschüsseln und Suppenterrinen auf. Den ganzen Vormittag war ein Krach in der Küche, daß es die reine Freude war, sagte Großmutter. Und wenn Malin am Nachmittag auch noch Zeit hatte, ging sie mit einem kleinen Hammer in den Salon und schlug die

antiken ostindischen Teller, die an den Wän-
den hingen, herunter. Jeden Mittwoch kauf-
te Großmutter neues Porzellan", sagte Pippi, und sie verschwand oben von der
Treppe wie ein Stehaufmännchen in der
Schachtel.

Aber jetzt war es mit Frau Settergrens Ge-
duld zu Ende. Sie lief die Treppe hinauf, ins
Kinderzimmer hinein und zu Pippi hin, die
Thomas gerade beibringen wollte, auf dem
Kopf zu stehen.

„Du darfst nie mehr herkommen", sagte
Frau Settergren, „wenn du dich so schlecht
benimmst."

Pippi sah sie verwundert an, und langsam
füllten sich ihre Augen mit Tränen.

„Das hätte ich mir ja denken sollen, daß ich
mich nicht benehmen kann. Es hat keinen
Zweck, es zu versuchen, ich werde es doch
nie lernen. Ich hätte auf dem Meer bleiben
sollen."

Dann machte sie einen Knicks vor Frau Settergren, verabschiedete sich von Thomas und Annika und ging langsam die Treppe hinunter.

Aber jetzt wollten die Damen auch nach Hause gehen. Pippi setzte sich auf den Schuhrost im Korridor und sah zu, wie die Damen sich die Hüte aufsetzten und die Mäntel anzogen.

„Wie schade, daß Sie mit Ihren Mädchen nicht zufrieden sind", sagte Pippi leise. „Sie müßten so eine haben wie Malin. So was von einem guten Mädchen gibt es nicht wieder, hat Großmutter immer gesagt. Denken Sie nur, einmal zu Weihnachten, als Malin ein ganzes gebratenes Ferkel servieren sollte, wissen Sie, was sie da gemacht hat? Sie hatte im Kochbuch gelesen, daß das Weihnachtsferkel mit gekräuseltem Papier in den Ohren und einem Apfel im Mund serviert wird. Und die arme Malin hatte nicht begriffen, daß das Ferkel den Apfel im Mund und das gekräuselte Papier in den Ohren haben sollte. Das hätten Sie sehen sollen, wie sie am Weihnachtsabend mit gekräuseltem Kreppapier in den Ohren und mit einem großen Gravensteiner im Mund hereinkam. Großmutter sagte zu ihr: ‚Du bist ein Schaf!‘ Und Malin konnte ja kein Wort zu ihrer Verteidigung hervorbringen, sondern sie wackelte nur mit den Ohren, so daß das gekräuselte Papier raschelte. Sie versuchte zwar, etwas zu sagen, aber es kam nur ‚blub, blub, blub‘ heraus. Ja, das war kein schöner Weihnachtsabend für die arme Malin", sagte Pippi traurig.

Die Damen waren jetzt fertig angekleidet und sagten Frau Settergren auf Wiedersehen. Und Pippi lief zu ihr hin und flüsterte: „Verzeihen Sie mir, daß ich mich nicht benehmen konnte! Auf Wiedersehen!"

Dann setzte sie sich mit Schwung ihren großen Hut auf den Kopf und folgte den Damen.

Aber an der Gartentür trennten sich ihre Wege. Pippi ging zur Villa Kunterbunt, und die Damen gingen in die andere Richtung. Als sie ein Stück gegangen waren, hörten sie ein Keuchen hinter sich. Es war Pippi, die angerannt kam.

„Sie können mir glauben, daß Großmutter traurig war, als sie Malin verlor. Denken Sie nur, eines Dienstagmorgens, als Malin kaum mehr als ein Dutzend Teetassen zerschlagen hatte, rückte sie aus und ging zur See. Und Großmutter mußte an dem Tag das Porzellan selbst kaputthauen. Und sie war es ja nicht gewohnt, die Ärmste, sie bekam Blasen an den Händen. Von Malin hat sie nie wieder was gesehen. Und das war schade, es war so ein prima Mädchen, hat Großmutter gesagt."

Dann ging Pippi, und die Damen eilten wei-

ter. Aber als sie ein paar hundert Meter gegangen waren, hörten sie aus der Ferne Pippi
aus vollem Halse schreien:

„Die – se – Ma – lin – hat – nie – mals – un –
ter – den – Bet – ten – ge – fegt!"

Pippi tritt
als Lebensretterin auf

Eines Sonntagnachmittags saß Pippi da und
überlegte, was sie anfangen könnte. Thomas
und Annika waren mit ihren Eltern zu einer
Teegesellschaft eingeladen, so daß Pippi
ihren Besuch nicht erwarten konnte.

Der Tag war mit allerlei angenehmen
Beschäftigungen ausgefüllt gewesen. Pippi
war zeitig aufgestanden und hatte Herrn
Nilsson Saft und Brötchen ans Bett ge-
bracht. Er sah so niedlich aus, wie er in
seinem hellblauen Nachthemd dasaß und das
Glas mit beiden Händen festhielt. Dann
hatte sie das Pferd gefüttert und gestriegelt
und ihm eine lange Geschichte von ihren
Reisen auf dem Meer erzählt. Danach war sie

ins Wohnzimmer gegangen und hatte ein großes Bild auf die Tapete gemalt. Das Bild stellte eine dicke Dame in rotem Kleid und schwarzem Hut dar. In der einen Hand hielt sie eine gelbe Blume und in der anderen eine tote Ratte. Pippi fand, daß es ein sehr schönes Bild war. Es schmückte das ganze Zimmer. Dann hatte sie sich an ihre Kommode gesetzt und ihre Vogeleier und Schnecken angesehen. Da waren ihr alle die wunderbaren Plätze eingefallen, wo sie und ihr Vater das alles gesammelt hatten, und die kleinen netten Läden in der ganzen Welt, wo sie die vielen schönen Sachen gekauft hatten, die jetzt in den Schubladen der Kommode lagen. Danach hatte sie versucht, Herrn Nilsson Schottisch tanzen beizubringen, aber er wollte nicht. Einen Augenblick lang hatte sie überlegt, es mit dem Pferd zu versuchen, aber dann war sie lieber in die Holzkiste gekrochen und hatte den Deckel über sich zugemacht. Sie hatte gespielt, daß sie eine Sardine in einer Sardinenbüchse sei, und es war bloß schade gewesen, daß Thomas und Annika nicht dabei waren, dann hätten sie auch Sardinen sein können.

Aber jetzt wurde es dunkel. Sie preßte ihre kleine Kartoffelnase gegen die Fensterscheiben und sah in die Herbstdämmerung hinaus. Da fiel ihr ein, daß sie schon seit ein paar Tagen nicht ausgeritten war, und sie entschloß sich, es jetzt gleich zu machen. Das würde ein netter Abschluß für einen angenehmen Sonntag sein. Sie setzte ihren großen Hut auf, holte Herrn Nilsson, der in einer Ecke saß und mit Murmeln spielte, sattelte das Pferd und hob es von der Veranda herunter. Und dann ritten sie los, Herr Nilsson auf Pippi und Pippi auf dem Pferd.

Es war ziemlich kalt, die Wege waren gefroren, und es klirrte ordentlich, als sie angeritten kamen. Herr Nilsson saß auf Pippis

Schulter und versuchte, ein paar Zweige von den Bäumen zu greifen, an denen sie vorbeikamen. Aber Pippi ritt so schnell, daß es ihm nicht gelang. Die vorbeisausenden Zweige klatschten ihm nur ein paarmal tüchtig um die Ohren, und er hatte Mühe, seinen Strohhut auf dem Kopf zu behalten.

Pippi ritt durch die kleine Stadt, und die Leute drückten sich ängstlich gegen die Hauswände, als sie vorbeigestürmt kam.

Die kleine Stadt hatte natürlich einen Marktplatz. Da standen ein kleines, gelbgestrichenes Rathaus und mehrere alte, hübsche, einstöckige Gebäude. Ein großes Haus gab es auch dort. Das war ein dreistöckiger Neubau, der „Wolkenkratzer" genannt wurde, weil er höher war als alle anderen Häuser der Stadt.

An so einem Sonntagnachmittag wirkte die kleine Stadt sehr still und friedlich. Aber plötzlich wurde die Stille von lauten Rufen unterbrochen: „Es brennt im Wolkenkratzer! Feuer! Feuer!"

Von allen Seiten kamen Leute mit erschrokkenen Augen angelaufen, ein Feuerwehrauto fuhr mit andauerndem Getute durch die Straßen, und die kleinen Kinder der Stadt, die es sonst immer lustig fanden, die Feuerwehr zu sehen, weinten vor Schreck, weil sie glaubten, daß es auch in ihrem Haus anfangen könnte zu brennen.

Auf dem Marktplatz vor dem Wolkenkratzer sammelten sich eine Menge Menschen, und die Polizei versuchte sie auseinanderzutreiben, damit die Feuerwehr durchkommen konnte. Aus den Fenstern des Wolkenkratzers schlugen lodernde Flammen, und die Feuerwehrmänner waren von Rauch und Funken eingehüllt. Aber sie gingen mutig daran, das Feuer zu löschen.

Das Feuer hatte im Erdgeschoß begonnen, aber es breitete sich schnell aus bis in die oberen Stockwerke. Da sahen die Menschen, die auf dem Marktplatz versammelt waren, plötzlich etwas, was sie vor Schreck aufschreien ließ. Ganz hoch oben im Haus unterm Dach war ein Zimmer. Am Fenster, das gerade von einer kleinen Kinderhand geöffnet wurde, standen zwei kleine Jungen und riefen um Hilfe.

„Wir können nicht raus, jemand hat Feuer auf der Treppe angemacht!" schrie der größere.

Er war fünf Jahre alt, und sein Bruder war ein Jahr jünger. Ihre Mutter war ausgegangen, und nun standen sie ganz allein da oben. Viele Menschen auf dem Marktplatz fingen an zu weinen, und der Feuerwehrhauptmann sah besorgt aus. Es war zwar eine Leiter auf dem Feuerwehrauto, aber sie reichte bei weitem nicht so hoch hinauf. Ins Haus hineinzugehen, um die Kinder zu holen, war unmöglich.

Die Menschen auf dem Marktplatz wurden von Verzweiflung gepackt, als ihnen klarwurde, daß man den Kindern nicht helfen konnte. Und die armen kleinen Wesen standen da oben und weinten. Es konnte nur noch wenige Minuten dauern, bis das Feuer die Dachstube erreicht hatte.

Mitten unter den Menschen auf dem Marktplatz saß Pippi auf ihrem Pferd. Sie schaute interessiert das Feuerwehrauto an und überlegte, ob sie sich auch eins kaufen sollte. Es gefiel ihr so gut, weil es rot war und weil es solchen Krach gemacht hatte, als es durch die Straßen fuhr. Dann sah sie in das prasselnde Feuer, und sie fand es schön, wenn ein paar Funken auf sie fielen.

Schließlich bemerkte sie auch die beiden Jungen in der Dachstube. Zu ihrem Erstaunen schienen sie das Feuer nicht besonders spaßig zu finden.

Das war mehr, als sie verstehen konnte, und

schließlich fragte sie die Leute, die neben ihr standen:

„Warum schreien die Kinder?"

Zuerst bekam sie nur Schluchzen zur Antwort, aber schließlich sagte ein dicker Herr: „Ja, was denkst du denn? Glaubst du nicht, daß du auch schreien würdest, wenn du da oben ständest und nicht runter könntest?"

„Ich schreie niemals", sagte Pippi. „Aber wenn sie durchaus runterkommen wollen, warum hilft ihnen niemand?"

„Natürlich deswegen, weil es nicht geht", sagte der dicke Herr.

Pippi überlegte eine Weile.

„Kann jemand ein langes Seil beschaffen?" fragte sie.

„Was soll das für einen Zweck haben", sagte der dicke Herr. „Die Kinder sind zu klein, um an einem Seil herunterzuklettern. Und wie willst du überhaupt das Seil zu ihnen hinaufkriegen?"

„Oh, man ist schließlich auf dem Meer gesegelt", sagte Pippi ruhig. „Ich will ein Seil haben."

Keiner glaubte, daß es einen Zweck hätte, aber wie dem auch sei – jedenfalls bekam Pippi ein Seil.

In der Nähe des Wolkenkratzers stand ein hoher Baum. Die Krone des Baumes war ungefähr in gleicher Höhe mit dem Fenster der Dachstube. Aber zwischen Baum und Fenster war ein Abstand von mindestens drei Metern. Und der Baumstamm war glatt und ganz ohne Äste, auf die man hätte treten können. Nicht einmal Pippi hätte hinaufklettern können.

Das Feuer brannte, die Kinder in der Dachstube schrien, und die Menschen auf dem Marktplatz weinten.

Pippi stieg vom Pferd und ging zu dem Baum. Dann nahm sie das Seil und band es an Herrn Nilssons Schwanz fest.

„Jetzt mußt du Pippis braver Junge sein", sagte sie. Sie setzte ihn auf den Baumstamm und gab ihm einen kleinen Puff. Er verstand sehr gut, was er tun sollte. Und er kletterte gehorsam am Baumstamm hoch. Für einen Affen war das ja keine Kunst.

Alle Menschen auf dem Marktplatz hielten den Atem an und schauten auf Herrn Nilsson. Bald hatte er die Baumkrone erreicht. Da saß er auf einem Ast und guckte zu Pippi herunter. Sie winkte ihm, daß er wieder herunterkommen sollte. Das tat er, aber er kletterte auf der anderen Seite vom Ast herunter, so daß das Seil sich um den Ast legte, und als Herr Nilsson wieder unten ankam, hing es mit beiden Enden zur Erde herunter.

„Du bist so klug, Herr Nilsson, daß du jederzeit Professor werden könntest", sagte Pippi und löste den Knoten auf, mit dem das eine Seilende an Herrn Nilssons Schwanz festgebunden war.

Ganz in der Nähe wurde gerade ein Haus repariert. Pippi lief hin und suchte sich ein langes Brett. Sie nahm es unter den Arm, lief zum Baum, griff das Seil mit der freien Hand und stemmte sich mit den Füßen gegen den Baumstamm. Schnell und behende kletterte sie am Baumstamm hoch, und die Leute hörten vor lauter Verwunderung auf zu weinen. Als sie die Baumkrone erreicht hatte, legte sie das Brett quer über einen dicken Ast und schob es vorsichtig hinüber zum Fenster der Dachstube. Und jetzt lag das Brett wie eine Brücke zwischen Baumstamm und Fenster. Die Menschen unten auf dem Platz standen ganz still. Vor lauter Spannung konnten sie nichts sagen.

Pippi kletterte auf das Brett. Sie lächelte die beiden Jungen am Dachstubenfenster freundlich an.

„Wie traurig ihr ausseht!" sagte sie. „Habt ihr Bauchschmerzen?"

Sie lief über das Brett und sprang in die Dachstube hinein.

„Warm ist es hier", sagte sie. „Hier braucht ihr heute kein Feuer mehr anzumachen, das garantiere ich. Und morgen höchstens vier Stücke Holz in den Ofen. Das reicht."

Dann nahm sie einen Jungen unter jeden Arm und kletterte wieder auf das Brett.

„Jetzt sollt ihr endlich mal ein bißchen Spaß haben", sagte sie. „Das ist beinahe so wie auf dem Seil balancieren."

Und als sie in der Mitte des Brettes war, hob sie ein Bein hoch, genau wie sie es im Zirkus gemacht hatte. Da ging es wie ein Sausen durch die Volksmenge unten auf dem Marktplatz, und als Pippi gleich danach ihren einen Schuh verlor, fielen mehrere ältere Damen in Ohnmacht. Aber Pippi kam glücklich und wohlbehalten mit den beiden Jungen zu dem Baum hinüber, und da schrien alle Leute unten: „Hurra!", so daß es wie ein Dröhnen

in den dunklen Abend stieg und das Rauschen des Feuers übertönte.

Jetzt holte Pippi das Seil heran und band das eine Ende an einem Ast fest. Dann band sie den einen der Jungen an das andere Ende des Seiles und ließ ihn langsam und vorsichtig zu der überglücklichen Mutter hinunter, die auf dem Platz stand. Sie warf sich sofort über ihren Jungen und drückte ihn mit Tränen in den Augen an sich.

Aber Pippi schrie: „Macht das Seil los! Hier ist noch ein Kind, und fliegen kann es ja nicht!"

Und einige Leute halfen, den Knoten aufzubinden, so daß der Junge frei wurde. Pippi konnte ordentliche Knoten machen! Das hatte sie auf See gelernt.

Sie holte sich wieder das Seil heran, und jetzt war der andere Junge an der Reihe, hinabgelassen zu werden.

Nun war Pippi allein oben im Baum. Sie lief auf das Brett, und alle Leute schauten zu ihr hinauf und waren gespannt, was sie tun wollte. Pippi tanzte auf dem schmalen Brett hin und her. Sie hob und senkte die Arme so schön und sang mit heiserer Stimme, die man unten auf dem Marktplatz kaum hören konnte:

Es brennt ein Feuer,
das brennt so hell,
es brennt in tausend Kränzen.
Es brennt für dich
und brennt für mich
und brennt zu unseren Tänzen!

Je weiter sie sang, desto wilder tanzte sie, und viele auf dem Marktplatz schlossen vor Schreck die Augen, weil sie glaubten, daß Pippi herunterfallen würde. Aus dem Fenster der Dachstube schlugen große Flammen, und in ihrem Feuerschein konnten sie Pippi ganz deutlich sehen. Sie hob die Arme gegen den Abendhimmel, und während ein Funkenregen über ihr niederging, schrie sie laut:

„So ein lustiges, lustiges, lustiges Feuer!"

Jetzt machte sie einen Sprung zum Seil.

„Hei!" schrie sie und sauste wie ein Blitz zur Erde hinunter.

„Ein vierfaches Hurra für Pippi Lang-
strumpf! Sie soll leben!" schrie der Feuer-
wehrhauptmann.
„Hurra, hurra, hurra, hurra!" schrien alle.
Aber jemand schrie fünfmal. Und das war
Pippi.

ELFTES KAPITEL

Pippi feiert Geburtstag

Eines Tages fanden Thomas und Annika einen Brief in ihrem Briefkasten. „An Thmas un Anika" stand darauf. Und als sie ihn aufgemacht hatten, fanden sie eine Karte, auf der stand:

„Thmas un Anika solen zu Pippi sur Gebutsfeier komen morgen nahmidag. Ansug: was ir wolt."

Thomas und Annika freuten sich so, daß sie anfingen, herumzuspringen und zu tanzen. Sie verstanden sehr gut, was auf der Karte stand, wenn es auch etwas merkwürdig geschrieben war.

Pippi hatte schreckliche Mühe gehabt, das zu schreiben. Wenn sie auch damals in der Schule das „i" nicht gekannt hatte – Tatsache war, daß sie jedenfalls ein bißchen schreiben konnte. Zu der Zeit, als sie noch zur See gefahren war, hatte sie manchmal abends mit einem Matrosen auf dem Achterdeck des Schiffes gesessen und versucht, schreiben zu lernen.

Leider war Pippi kein besonders ausdauernder Lehrling. Mittendrin konnte sie plötzlich sagen: „Nein, Fridolf (der Matrose hieß Fridolf), nein, jetzt pfeifen wir drauf. Jetzt klettere ich auf die Mastspitze und gucke nach, wie das Wetter morgen wird."

Deshalb war es kein Wunder, daß es mit dem Schreiben nicht so besonders gut ging. Sie saß eine ganze Nacht und quälte sich mit der Einladungskarte ab, und gegen Morgen, als gerade die Sterne über dem Dach der Villa Kunterbunt verblaßten, schlich sie sich zu Thomas' und Annikas Villa hinüber und steckte den Brief in den Kasten.

Sobald Thomas und Annika aus der Schule

kamen, fingen sie an, sich für die Geburtstagsfeier feinzumachen.

Annika bat ihre Mutter, ihr das Haar zu
kräuseln. Das tat ihre Mutter, und dann
band sie ihr eine große rosa Seidenschleife
ins Haar. Thomas kämmte sich mit einem
nassen Kamm, damit das Haar richtig glatt
lag. Er wollte ja nun keine Locken haben!
Dann wollte Annika ihr bestes Kleid anzie-
hen, aber da sagte die Mutter, das sei nicht
nötig, denn Annika war selten richtig sauber
und ordentlich, wenn sie von Pippi kam. So
mußte Annika sich mit ihrem zweitbesten
Kleid begnügen. Thomas machte sich nicht
so viel daraus, was er für einen Anzug
anhatte, wenn er nur einigermaßen nett
aussah.

Sie hatten natürlich ein Geschenk für Pippi
gekauft. Sie hatten aus ihren Sparbüchsen
Geld genommen, und auf dem Heimweg
von der Schule waren sie in einen Spielwa-

renladen gegangen und hatten eine sehr feine... gekauft – ja, was das war, soll vorläufig ein Geheimnis bleiben.

Das Geschenk war in grünes Papier eingepackt und gut verschnürt, und als Thomas und Annika fertig waren, nahm Thomas das Paket, und sie trabten davon, begleitet von Ermahnungen, sich ja mit ihren Sachen in acht zu nehmen.

Annika trug das Paket auch eine Weile, und sie vereinbarten, daß sie es beide halten sollten, wenn sie es überreichten.

Es war im November, und es dämmerte schon früh. Als Thomas und Annika durch die Gartentür der Villa Kunterbunt gingen, hielten sie sich fest an den Händen, denn es war ganz schön dunkel in Pippis Garten, und die alten Bäume, die gerade die letzten Blätter verloren, rauschten so düster.

„Herbstlich", sagte Thomas.

Um so schöner war es, die erleuchteten Fenster in der Villa Kunterbunt zu sehen und zu wissen, daß sie dort Geburtstag feiern sollten.

Sonst gingen Thomas und Annika durch den Kücheneingang, aber heute gingen sie durch den Haupteingang. Das Pferd war nicht auf der Veranda zu sehen. Thomas klopfte höflich an die Tür. Drinnen hörte man eine dumpfe Stimme murmeln:

> „Wer kommt da in der dunklen Nacht
> gegangen in mein Haus?
> Ist es ein Geist, oder ist es bloß
> eine arme kleine Maus?"

„Nein Pippi, wir sind das", schrie Annika. „Mach auf!"

Da machte Pippi die Tür auf.

„O Pippi, warum hast du das von dem Geist gesagt, ich habe solche Angst gekriegt", sagte Annika und vergaß ganz, Pippi zu gratulieren.

Pippi lachte herzlich und öffnete die Tür zur Küche. Oh, wie schön das war, wieder ins Licht und in die Wärme zu kommen!

Die Geburtstagsfeier sollte in der Küche stattfinden, denn da war es am gemütlichsten. Es gab ja nur zwei Zimmer im Erdgeschoß. Das eine war das Wohnzimmer, und darin war nur ein Möbelstück, und das andere war Pippis Schlafzimmer. Aber die Küche war groß und geräumig, und Pippi hatte sie richtig hübsch und ordentlich hergerichtet. Auf den Fußboden hatte sie Teppiche gelegt, und auf dem Tisch lag ein neues Tuch, das Pippi genäht hatte. Die Blumen, die sie darauf gestickt hatte, sahen allerdings sehr merkwürdig aus, aber Pippi behauptete, daß solche Blumen in Hinterindien wüchsen, und so war ja alles in bester Ordnung. Die Vorhänge waren zugezogen, und im Herd brannte ein Feuer, daß es knisterte.

Auf der Holzkiste saß Herr Nilsson und schlug zwei Topfdeckel gegeneinander, und in einer Ecke stand das Pferd. Es war natürlich auch zur Geburtstagsfeier eingeladen.

Jetzt fiel es Thomas und Annika endlich ein, daß sie Pippi gratulieren mußten. Thomas verbeugte sich, und Annika machte einen Knicks, und sie überreichten das grüne Paket und sagten:

„Wir gratulieren!"

Pippi bedankte sich und riß eifrig das Papier auf. Und da lag eine Spieldose darin! Pippi war ganz verrückt vor Begeisterung. Sie streichelte Thomas, und sie streichelte Annika, und sie streichelte die Spieldose, und mit viel Kling-Klang kam eine Melodie heraus, die wohl „Ach du lieber Augustin" sein sollte.

Pippi drehte und drehte und schien alles andere vergessen zu haben. Aber plötzlich fiel ihr etwas ein.

„Liebe Kinder, ihr sollt ja auch eure Geburtstagsgeschenke haben", sagte sie.

„Ja, aber – wir haben doch gar nicht Geburtstag", sagten Thomas und Annika.

Pippi sah sie erstaunt an.

„Nein, aber ich hab Geburtstag, und da kann ich euch ja wohl auch Geschenke machen! Oder steht irgendwo in euren Schulbüchern, daß man das nicht kann? Hat das was mit Plutimikation zu tun, weshalb es nicht geht?"

„Nein, klar, daß es geht", sagte Thomas. „Obwohl es nicht üblich ist. Aber ich für meinen Teil will gern ein Geschenk haben."

„Ich auch!" sagte Annika.

Und nun lief Pippi ins Wohnzimmer und holte zwei Pakete, die auf der Kommode gelegen hatten.

Als Thomas sein Paket öffnete, fand er eine kleine Flöte aus Elfenbein, und in Annikas Paket lag eine schöne Brosche, die die Form eines Schmetterlings hatte. Die Flügel waren mit roten, grünen und blauen Steinen besetzt.

Als nun alle ihre Geburtstagsgeschenke bekommen hatten, war es Zeit, zu Tisch zu gehen. Auf dem Tisch waren eine Menge Kuchen und Milchbrötchen. Die Kuchen hatten eine sehr merkwürdige Form, aber Pippi behauptete, in China gäbe es solche Kuchen. Pippi goß Schokolade mit Schlagsahne in die Tassen, und nun sollte man sich setzen. Aber da sagte Thomas:

„Wenn Mama und Papa eine Gesellschaft haben, bekommen die Herren immer eine Karte, auf der steht, welche Dame sie zu Tisch führen sollen. Ich finde, das sollten wir auch machen."

„Meinetwegen", sagte Pippi.

„Obwohl es ja schlecht geht bei uns, weil ich doch der einzige Herr bin", sagte Thomas unschlüssig.

„Ach Unsinn", sagte Pippi. „Glaubst du vielleicht, Herr Nilsson ist ein Fräulein?"

„Nein, natürlich nicht, ich hab ja Herrn Nilsson vergessen", sagte Thomas. Und er setzte sich auf die Holzkiste und schrieb auf eine Karte:

„Herr Settergren wird gebeten, Fräulein Langstrumpf zu Tisch zu führen."

„Herr Settergren, das bin ich", sagte er zufrieden und zeigte Pippi die Karte. Dann schrieb er auf die andere Karte:

„Herr Nilsson wird gebeten, Fräulein Settergren zu Tisch zu führen."

„Ja, aber das Pferd muß auch eine Karte haben", sagte Pippi bestimmt. „Auch wenn es nicht mit am Tisch sitzen kann."

Und Thomas schrieb nach Pippis Diktat auf die nächste Karte:

„Das Pferd wird gebeten, in der Ecke stehenzubleiben. Dann kriegt es Kuchen und Zucker."

Pippi hielt dem Pferd die Karte unter die Nase und sagte: „Lies das und sag, wie du es findest."

Und weil das Pferd keine Einwände hatte, bot Thomas Pippi seinen Arm und führte sie zu Tisch. Herr Nilsson machte keine Anstalten, Annika aufzufordern, und Annika hob ihn entschlossen hoch und führte ihn zu Tisch. Aber er weigerte sich, auf dem Stuhl zu sitzen, er setzte sich direkt auf den Tisch. Er wollte auch keine Schokolade mit Schlagsahne haben, aber als Pippi Wasser in seine Tasse goß, faßte er sie mit beiden Händen und trank.

Annika, Thomas und Pippi aßen und tranken, und Annika sagte, wenn es solchen Kuchen in China gäbe, dann wollte sie nach China ziehen, wenn sie groß wäre.

Als Herr Nilsson seine Tasse leer getrunken hatte, drehte er sie um und setzte sie sich auf den Kopf. Als Pippi das sah, tat sie das glei-

che. Da sie aber nicht alle Schokolade ausge-
trunken hatte, lief ihr ein kleines Rinnsal
über Stirn und Nase. Aber sie steckte ihre
Zunge heraus und hielt das Rinnsal an.

„Es darf nichts umkommen", sagte sie.

Thomas und Annika leckten erst ihre Tassen
ordentlich aus, bevor sie sie auf den Kopf
setzten.

Als alle satt und zufrieden waren und auch
das Pferd seinen Teil bekommen hatte,
packte Pippi rasch die vier Ecken des Tisch-
tuches und nahm es ab, so daß Tassen und
Teller wie in einem Sack durcheinander fielen. Dann stopfte sie das ganze Bündel in die
Holzkiste.

„Ich muß immer ein bißchen aufräumen,
sobald ich gegessen habe", sagte sie.

Und jetzt wollten sie spielen. Pippi schlug
ein Spiel vor, das hieß „Nicht den Fußboden
berühren". Es war sehr einfach. Das einzige,
was man zu tun hatte, war, in der ganzen

Küche herumzuklettern, ohne ein einziges Mal seinen Fuß auf den Boden zu setzen. Pippi schaffte es im Nu. Aber auch Thomas und Annika machten es ganz gut. Man fing am Abwaschtisch an, und wenn man die Beine genügend breit machte, kam man zum Herd rüber und vom Herd zur Holzkiste, von der Holzkiste über das Hutablagebrett auf den Tisch runter und von da über zwei Stühle zum Eckschrank. Zwischen dem Eckschrank und dem Abwaschtisch war ein Abstand von einigen Metern, aber da stand glücklicherweise das Pferd, und wenn man am Schwanzende hinaufkletterte und am Kopfende herunterrutschte und sich dann im richtigen Augenblick einen Schwung gab, landete man direkt auf dem Abwaschtisch. Nachdem sie eine Weile so gespielt hatten und Annikas Kleid nicht mehr ihr nächstbestes, sondern nur noch ihr nächst-nächstnächstbestes war und Thomas so schwarz

wie ein Schornsteinfeger aussah, beschlossen
sie, nun etwas anderes zu spielen.

„Wollen wir auf den Boden raufgehen und
die Gespenster besuchen?" fragte Pippi.

Annika erschrak.

„G... g... gibt es Gespenster auf dem
Boden?" fragte sie.

„Und ob es welche gibt! Massenhaft!" sagte
Pippi. „Es wimmelt da oben von allen möglichen Gespenstern und Geistern. Man fällt
direkt über sie. Wollen wir raufgehen?"

„Oh", sagte Annika und sah Pippi vorwurfsvoll an.

„Mama hat gesagt, es gibt keine Gespenster
und Geister", sagte Thomas bestimmt.

„Das glaube ich", sagte Pippi. „Nirgendwo
sonst als hier. Denn alle, die es gibt, wohnen
auf meinem Boden. Und es hat keinen
Zweck, sie zu bitten wegzuziehen. Aber sie
sind nicht gefährlich. Sie kneifen einen bloß
in die Arme, daß man blaue Flecke kriegt.

Und dann heulen sie. Und spielen Kegel mit ihren Köpfen."

„Sp ... sp ... spielen Kegel mit ihren Köpfen?" flüsterte Annika.

„Ja, genau das tun sie", sagte Pippi. „Kommt, wir gehn nach oben und unterhalten uns mit ihnen. Ich kann prima kegeln."

Thomas wollte nicht zeigen, daß er Angst hatte, und eigentlich wollte er ganz gern ein Gespenst sehen. Dann hätte er den Jungen in der Schule was zu erzählen! Außerdem tröstete er sich damit, daß die Gespenster sich wohl nicht an Pippi heranwagen würden. Er entschloß sich mitzugehen.

Die arme Annika wollte unter keinen Umständen, aber dann fiel ihr ein, daß vielleicht ein ganz kleines Gespenst sich zu ihr herunterschleichen könnte, während sie allein in der Küche war. Und das entschied die Sache. Lieber zusammen mit Pippi und Thomas zwischen tausend Gespenstern als allein mit dem allerkleinsten Gespensterkind in der Küche.

Pippi ging voran. Sie machte die Tür zur Bodentreppe auf. Da war es kohlrabenschwarz. Thomas hielt Pippi ganz fest, und Annika hielt Thomas noch fester. Nun gingen sie die Treppe hinauf. Es knarrte und knackte bei jedem Schritt. Thomas fing an zu überlegen, ob sie nicht besser unten geblieben wären. Annika brauchte nicht zu überlegen. Sie war ohnehin davon überzeugt.

Schließlich waren sie oben, und sie standen in der Bodenkammer. Es war vollständig dunkel, abgesehen von einem kleinen Mondstrahl, der quer über den Fußboden fiel. Es stöhnte und pfiff in allen Ecken, wenn der Wind durch die Ritzen hereinblies.

„Servus, ihr Gespenster alle!" rief Pippi.

Aber wenn ein Gespenst da war, so antwortete es jedenfalls nicht.

„Das hätte ich mir denken sollen", sagte Pippi. „Sie sind zur Vorstandssitzung des Geister- und Gespenstervereins gegangen." Ein Seufzer der Erleichterung entschlüpfte Annika, und sie hoffte, daß die Sitzung recht lange dauern möge. Aber in dem Augenblick kam ein furchtbarer Laut aus einer Ecke der Bodenkammer.

„Kläu-it", tönte es, und gleich darauf sah Thomas etwas im Dunkeln auf sich zuge-saust kommen. Er fühlte einen Luftzug an seiner Stirn und sah etwas Schwarzes durch ein kleines Fenster, das offen stand, ver-schwinden. Er schrie in den höchsten Tönen:

„Ein Gespenst! Ein Gespenst!"

Und Annika stimmte ein.

„Der Ärmste kommt zu spät zur Sitzung", sagte Pippi. „Wenn es überhaupt ein Gespenst war. Und nicht eine Eule. Übrigens gibt es gar keine Gespenster", fuhr sie nach einer Weile fort, „denn je mehr ich darüber nachdenke, desto mehr glaube ich, daß es eine Eule war. Wer behauptet, daß es Gespenster gibt, dem drehe ich die Nase um."

„Ja aber, du hast es doch selbst gesagt", sagte Annika.

„Wirklich? Dann werde ich mir selbst die Nase umdrehen!"

Und sie packte ihre Nase und drehte sie um.

Nun waren Thomas und Annika etwas beruhigter. Sie wurden sogar so mutig, daß sie wagten, zum Fenster zu gehen und in den Garten hinunterzuschauen. Große dunkle Wolken zogen am Himmel entlang und taten ihr Bestes, den Mond zu verdunkeln. Und die Bäume rauschten.

Thomas und Annika drehten sich um. Aber da – o wie schrecklich! – sahen sie eine weiße Gestalt, die auf sie zukam.

„Ein Geist!" schrie Thomas wild.

Annika hatte solche Angst, daß sie nicht einmal schreien konnte. Die Gestalt kam immer näher, und Thomas und Annika drückten sich fest aneinander und machten die Augen zu. Aber da hörten sie den Geist sagen:

„Guckt mal, was ich gefunden habe! Papas Nachthemd lag da drüben in einer alten Seemannskiste. Wenn ich es ringsherum kürzer mache, kann ich es tragen."

Pippi kam in dem langen Nachthemd, das um ihre Beine schlotterte, auf sie zu.

„O Pippi, ich wäre vor Schreck beinah gestorben", sagte Annika.

„Ja, aber Nachthemden sind nicht gefährlich", beteuerte Pippi. „Sie beißen nur, wenn sie angegriffen werden."

Pippi entschloß sich jetzt, die Seemannskiste ordentlich zu durchsuchen. Sie trug sie zum Fenster und machte den Deckel auf, so daß das spärliche Mondlicht den Inhalt beschien. Da lagen eine ganze Menge alte Kleidungsstücke, die Pippi auf den Fußboden warf. Außerdem waren da ein Fernrohr, einige alte Bücher, drei Pistolen, ein Degen und ein Beutel mit Goldstücken.

„Tideldibum und didelidei", sagte Pippi zufrieden.

„Ist das aufregend!" sagte Thomas.

Pippi sammelte alles in das Nachthemd zusammen, und dann gingen sie wieder in die Küche hinunter. Annika war glücklich, von der Bodenkammer wegzukommen.

„Kindern soll man niemals Schußwaffen in die Hand geben", sagte Pippi und nahm in jede Hand eine Pistole. „Sonst kann leicht ein Unglück geschehen." Und sie drückte beide Pistolen zugleich ab.

„Das knallt ordentlich", stellte sie fest und schaute zur Decke hinauf. Da, wo die Kugeln eingeschlagen hatten, sah man zwei Löcher.

„Wer weiß", sagte sie hoffnungsvoll, „viel-

leicht sind die Kugeln durch die Decke gegangen und haben eins der Gespenster ins
Bein getroffen. Das soll ihnen eine Lehre
sein! Vielleicht überlegen sie es sich, ehe sie
wieder versuchen, arme, unschuldige Kinder zu erschrecken. Denn selbst wenn es
keine gibt, brauchen sie doch die Leute nicht
zu Tode zu ängstigen. Wollt ihr übrigens
jeder eine Pistole haben?" fragte sie. Thomas
war begeistert, und Annika wollte auch gern
eine haben, wenn sie nur nicht geladen war.
„Jetzt können wir eine Räuberbande grün-
den, wenn wir wollen", sagte Pippi und hielt
sich das Fernrohr vor die Augen. „Damit
kann ich fast die Flöhe in Südamerika sehen.
Das können wir gut gebrauchen, wenn wir
auf See sind."
Gerade da klopfte es an die Tür. Es war
Thomas' und Annikas Vater, der seine Kinder abholen wollte. Er sagte, daß es schon
längst Schlafenszeit sei. Thomas und Annika

mußten sich schnell bedanken, sagten auf Wiedersehen und nahmen ihre Geschenke, die Flöte und die Brosche, mit. Pippi begleitete ihre Gäste hinaus auf die Veranda und sah ihnen nach, wie sie den Gartenweg entlanggingen. Sie drehten sich um und winkten Pippi zu.

Von innen fiel Licht auf Pippi. Da stand sie mit ihren steifen, roten Zöpfen und in dem Nachthemd von ihrem Vater, das um ihre Beine schlotterte. In der Hand hielt sie eine Pistole und in der anderen den Degen. Als Thomas und Annika und ihr Vater zur Gartentür kamen, hörten sie, daß Pippi ihnen etwas nachrief. Sie blieben stehen und lauschten. Die Bäume rauschten, so daß sie kaum etwas verstehen konnten. Aber Pippi rief noch einmal, und da verstanden sie es. „Ich werde Seeräuber, wenn ich groß bin!" schrie Pippi. „Und ihr?"